日本語と中国語の
副詞

日中対照言語学会

白帝社

まえがき

日中対照言語学会では、年に１回の学会機関誌『日中言語対照研究論集』を発行するとともに、数年に１回、特集を刊行している。すべて「日本語と中国語の」を冠し、アスペクト（2002 年）、補語（2006 年）、可能表現（2008 年）、ヴォイス（2012 年）、モダリティ（2015 年）に続く、本書『日本語と中国語の副詞』は６冊目である。特集のテーマとなる初めての品詞が副詞ということになる。

言語研究で扱われるテーマには、汎言語的に論ずることができるものと、各言語ごとに異なる枠組みが存在するものとがある。これまでの特集のうち、アスペクト、可能表現、ヴォイス、モダリティは前者であり、補語は後者であろう。

アスペクト、ヴォイス、モダリティは、言語によって、形態変化であったり助動詞や助詞その他の機能語の使用であったり、表現するための形式は異なるかもしれないが、例えば、アスペクトを事態・動作をどの過程でとらえるかを表すもの、ヴォイスを動詞による作用の及ぶ先が文中のどの要素であるかを示すもの、モダリティを叙述内容や発話に対する話し手の判断や態度を表すもの、などとすれば、いずれの言語でもこれらが表現されることを認めることができる。可能表現についても、デキル・デキナイを表現しない言語の存在は考え難い。

一方、補語のようなものは、まず、各個別言語の文法体系で補語と呼ばれる成分を認めるか否かを問わなければならない。認めるとしても、例えば中国語の補語と日本語の補語、あるいは英語の補語が同じものであるとは限らない。むしろ異なるものと考えるのが、普通であろう。

品詞も各個別言語ごとに考えるべきもののひとつである。各言語でいくつのどのような品詞を立てるかは、完全にそれぞれの言語に任されている。ひとつの言語のなかでさえ、品詞の立て方に諸説あることも珍しくない。したがって、例えば中国語の区別詞のように、中国語のなかでも異論があり、かつ、他の言語にあまり見られない品詞についてはもちろん、同じ名称で似たような品詞がふたつの言語にそれぞれ存在する場合にも、その扱いには注意が必要である。日本語、中国語どちらにもあるからといって、それぞれの言語である品詞に属するとされる個別の語をそのまま比べてしまうと、比べ方によっては混乱が生じてしまう。これを避けるには、本書王論文や孫論文に見るように、一方の言語のある語句で表される内容が、他方の言語でどのように表されるかを見る――本書藤田論文は、いわばこれを逆向きに行なっている――なり、鄭論文に見るように、使われる場所や意味、機能により取り上げるべき範囲を限った考察をするなりしなければならない。

＊　　＊　　＊

品詞と文成分との対応関係が一対一でなく、例えば動詞が述語になるだけでなく、主語・目的語や修飾語になるなど、ひとつの品詞がいくつもの機能を担っている中国語の品詞のなかにあって、副詞は、連用修飾語になるという単一の機能を持つ品詞である。日本語の副詞も同様であるが、ただし、両言語ともその内実は、本書早津論文や高橋論文に見る通り、もう少し複雑そうではある。

機能が単一であるために、動詞が目的語を取れるか否かなどによって下位分類されるのとは異なり、副詞は文法機能からの下位分類が難しい。それゆえ、副詞の下位分類は、時間副詞、範囲副詞、否定副詞などのように、意味によってなされることが多く、いくつに分けるか、何をどこに入れるかについては、統一された見解があるとは言い難い状態のままである。

本書小路口論文に引用されているが、本稿執筆者もかつて、“把”構文内での連用修飾語（多くは副詞）が表す意味と“把”＋名詞句との位置関係との関連を調べ、その結果から副詞の再分類を試みたことがある（加藤晴子 1995「状语的意义和状语在“把”字句中的位置」『中国語学』第 242 号）。“把”＋名詞句の前のみに置かれる副詞、後ろのみに置かれる副詞、文意などにより位置が変わる副詞に分け、複数の意味を持つ副詞の判別法を提案したのであるが、当時はまだ手軽に検索のできるコーパスなどもなく、材料の点でも考察の点でも極めて不充分なものに終わっている。

＊　＊　＊

本書鈴木論文が「必ず」を何と共起するかにより説明しているように、あるいは、李論文の「たしかに」や呂・郭論文のオノマトペのように、ある特定の副詞・連用修飾語の意味・用法・効果を追求する研究とは別に、副詞（や一部連用修飾語）の意味・用法を利用する研究として、他のテーマを論ずる際に、副詞との共起関係を基準に論を立てていくという場合もある。本書では時論文が“一点儿”と“有点儿”の違いを述べるなかで、他の副詞との共起の有無を調べている。

＊　＊　＊

以上、本書所収の論文について、取り上げ方が適切でない面があるかもしれない。いずれも示唆に富んだ論文であることは確かであるので、本書を手にされた方がそれぞれ確認してくだされば幸いである。本特集が日中対照研究のみならず、日本語・中国語双方の副詞研究の発展に貢献するものとなることを願ってまえがきとする。

日中対照言語学会　会長　加藤晴子

2020年6月吉日

新型コロナへのアラートが解除された東京にて

目次

まえがき……………………………………………………………………… i
「必ず」の意味のありかたをめぐって
鈴木　泰 ……………………………………………………………………1
日本語の使役文における副詞によるV-(サ)セルへの修飾
早津 恵美子 ……………………………………………………………23
応答発話における副詞「たしかに」の機能について
李　丹……………………………………………………………………57
日本の食品テレビ広告におけるオノマトペについて
呂　雷寧　郭　雅菲 ……………………………………………… 78
“一点儿”と“有点儿”の相違について
時　衛国 …………………………………………………………… 95
中国語テキストにおける「“把”構文」の中の副詞の位置について
—副詞“都”を中心に　小路口 ゆみ……………………………118
中日両言語における副詞について
高橋弥守彦………………………………………………………… 136
“别/不要……(了)”文とその多様な日本語訳
王　学群…………………………………………………………… 157
汉日否定极性副词的极性敏感特征分析
鄭　玉貴…………………………………………………………… 177
中国語の副詞“也”の主観化についての研究
－日本語の「モ」との対照を兼ねて－　孫　宇雷……………… 195
副詞加訳(日→中)論　—事例研究を中心として—
藤田昌志…………………………………………………………… 212

編集後記…………………………………………………………… 232
英文目次…………………………………………………………… 233
執筆者紹介(掲載順) ……………………………………………234

「必ず」の意味のありかたをめぐって

On the Meaning of *“kanarazu”*

鈴木　泰
SUZUKI Tai

要旨

工藤浩（1982）以降、陳述副詞の機能についての諸家の見解が単義説に向かうか、多義説に向かうかを検討した。同時に以下の共起制限がいかなる文法的性質によってもたらされるかを考察した。

[1]「必ず」は過去の一度限りのできごととは共起しないということは、最近の諸見解が共通して、非アクチュアルな文においてしか用いられないという副詞「必ず」の文法的性質によるものとすることをまず確認する。小林典子、および杉村泰の見解は、こうした述語のテンス的意味との関係から、「必ず」が確定性を表すという単義説をとる。また、呉珠熙と張根壽の見解は、「事態」という共通の概念を用いる点で共通性はあるが、呉の見解は厳密にではないが多義説であり、張の見解は結局のところ単義説と見られる。

[2]「必ず」が「状態性の述語」「否定形（〜ない）」とは共起しない点については、状態または否定という意味と反復習慣との相反性という性質によって、「必ず」との共起は許されないが、一定の条件下では許容される。

[3]「仮定事態」の文脈が与えられた「一回的事態」を表す「過去」との「必ず」の共起制限は「必ず」の多義性をさししめしている。

[4] 頻度を表す「いつも」とは普遍的事態が共起しないのに対して、**「必ず」は普遍的事態と共起し**、確率が 100%であることを表す。

キーワード：必ず、共起制限、確率、確信、テンス、習慣的、反覆的、一般的、一回的、状態、否定

最近、鈴木泰（2018）の工藤浩『副詞と文』の書評のなかで、工藤（1982：38–39）の「かならず」と「きっと」の扱いをめぐって、次のように書いた。

副詞の多義的な様相を一語一義的にあつかおうとすると、どのような無理が生ずるかを示そうとしたところで、必ずしもそれらの副詞の意味の具体的な記述をめざしたものではないことに注意する必要がある。こうした立場からの議論をつきつめていけば、いずれ袋小路にまよいこんでしまうことが確認できればそれで十分なのである。書評者も最終的には「かならず」の意味はどのような意味であるのかを本気で考えこんでしまうことがあった。（鈴木泰 2018：162）

この部分の工藤（2016）の議論は少しわかりにくいところがあるので、筆者なりの解釈を示せば次のようになろう。

「必ず」の意味を確定するために、「きまって」と比較すると、次のようになる。

かならず	あした来て下さい。
＊きまって	あしたは晴れる。

この共起制限から、「きまって」が習慣的・反復的意味であるとすれば、「必ず」は習慣的・反復的意味をもたないことになる。しかし、「きっと」と比較すると、次のようになる。

＊かならず ┐ ┌ あの子はどこかに行ったのだ。　＜説明文＞
　　　　　 ├ ┤ あれは鈴木さんだよ。　　　　＜名詞文＞
きっと　　 ┘ └ 田中さんは来ませんよ。　　　＜否定平叙文＞

＜説明文＞＜名詞文＞＜否定平叙文＞は、あとに論ずるように、一回的な意味であって、習慣的・反復的意味と排斥しあう関係にあるはずなので、それらと共起しないということは逆に「必ず」が習慣的・反復的意味をもつということになる。これは、「きまって」と比べたときの「必ず」は習慣的・反復的意味をもたないという結論と衝突することになる。この矛盾は「必ず」を何か一つの意味だけを表すものと規定しようとすることによってもたらされたものだから、一語一義説を捨てて多義説につかなければならないことを主張している。

筆者もうっかり、袋小路に迷いこんでしまったことを反省して上のようにいったのだが、工藤以降の「きっと」と「かならず」の研究はどうなっていったのかを、目に触れた限りの範囲で、「かならず」と文の共起関係の点から、単義説から多義説へと向かったのかどうかを確かめてみたい。ただし、王沖（2010）のような、認知言語学的にスキーマを設定して考察するようなものについてはふれない。

陳述副詞または叙法副詞（工藤1982）または陳述詞（高木1999）のなかで、モダリティーではなく、むしろ反復習慣といったテンスに関係する副詞として「必ず」は特異である。

[1]「必ず」は過去の一度限りのできごととは共起しない

・「おじさん、軍隊からもどってきたの？」　見つけると、昭二はかならず訊ねた。「どこから？」（「幸福の選択」BCCWJ）

上の例は、「必ず」がなければ、単なる一回的な事態を表すもののように見える。それが「必ず」があることによって、反復的習慣的な事態を表すものであることがはっきりする。その限りでは、「必ず」はテンスを表しているという見方もできないわけではない。しかし、反復的習慣的事態であるかどうかは、副詞によって修飾される前から決まっていたのではないか。ただ、この文脈からだけでは曖昧であったというにすぎないのではないか。ということは、「必ず」によって、この文は曖昧さがなくなり、反復的習慣的事態であることが明確になったというだけではないか。こうした点に関しては論者によってちがいがある。

そうした中でまず注目されるのは、佐治圭三（1986）が、アンケートの結果にもとづいて、次のようにのべていることである。（用例を示してそれらがほかの副詞でも使えるかどうかを調査し、「言えると思ったら○、言えないと思ったら×、わからない時は△」を書くように依頼している）

> 最後に「必ず」であるが、これも（キットと同様に＝筆者注）単なる事実を表す文末とは共起しない。客観的な事態の推量とも共起しない。(43)「昨日見た映画は～こわかった」においても「あの人は～先生でしょう」においても「必ず」は採用されない。「必ず」は変り得る余地のある文末と共起する。「あの人は～先生になるでしょう」ならば、(2)「そう言えば～納得するでしょう」同様、「必ず」は採用されるにちがいない。また、「必ず」はある種の条件句を含んだ文中に現れる。(7)「あの人は夜は～家にいます」、(8)「あの人は夜は～家にいました」が現在や過去の事実であるのに「必ず」が採用されるのは、そこには「夜は」という条件句があるからだし、(9)「このあたりは冬になると～雪が降る」、(10)「このあたりは冬になると～雪が降った」において◎や○になるのも「冬になると」という条件句があるからである。「～すると必ず……」とか「～の時は必ず……」といった現れ方をする。（佐治 1986：11）

1. 小林（1992）と杉村（2009）の説

佐治をうけた小林典子（1992）では、「必ず」の意味と共起関係を次のようにまとめている。

・確率がほぼ100％であるという意味である。

・くり返して起こる可能性のあることについて言う。

（過去の一度限りのできごとには言わない）

・変化の意味を持つ動詞に係る。

（形容詞や名詞のような状態性の文では言わない）（小林 1992：15）

小林（1992）も「必ず」が「「非過去」との共起が基本で、「過去」とは共起しにくい」ことを「過去の習慣と読めば、〇と判定するだろうし、ある過去の１回きりの出来事と読めば×と判定するだろう」と説明し、テンス形式が本来どちらを表しているかによって決まってくるものと見ている。

（14‘）私は必ず父の帰りを門の前で待った。

（14‘）を読んだ人がこれを過去の習慣と読めば、〇と判定するだろうし、ある過去の１回きりの出来事と読めば×と判定するだろう。～タが多様な機能を表すために具体的な文脈がなくては判定ができない例である。寺村（1971）は、～タが過去や完了を表すほかにいろいろなムードを表すことを詳しく説明している。形態だけで共起を云々するのは危ない。（小林 1992：6）

「タ」が一回的事実を表すか、反復的習慣的事実を表すかは、テンスの問題である。平叙文の時制では、つまり現在、未来、過去のどの時制でも一回的、および反復的のどちらかのテンスがもともとそなわっているものであり、「必ず」などの副詞によって付与されるものではないということを小林がみとめているのは正しい。副詞はパーティクルであり、文のテンスを決めるものではなく、それを決定するのは文の述語であるから、副詞の付与以前にテンスは決まっているのである。しかし、小林は過去の一回的事実とみとめられる場合についても条件が整えば「必ず」が用いられることは無視して、「必ず」が妥当する文としては反復的過去にしか目がいっていない。その結果、「必ず」の機能としては「確率が100%」であることを表すという単義説を主張することになる。

ここで、文が反復的意味をもっているということがどのような意味をもつのかを、鈴木重幸（1979）に基づいて考えてみる。鈴木によれば、日本語の文のテンスは過去と非過去にわかれ、両者ともアクチュアルな一回的なテンスと、非アクチュアルな反復的なテンスとにさらに分けることができる。佐治のいう単なる事実を表す文とは、一回的な過去を表す文であるから、アクチュアルであり、そうした過去が非アクチュアルな「必ず」と共起しないということを佐治は指摘しているのである。

ここで、繰り返し起こる反復的習慣的事態というものはどういうものか考えてみると、それは、取り上げられている一つ一つの運動が現在なり過去なりの広げられ時間面のどこかで実現する可能性を表しており、その実現が具体的に、今日であるか、明日であるかは表していない。その運動が実現するというポテンシャル（潜在的）な可能性を表すだけなのである。反復的習慣的事態のこのような性格にとっては、ロシア語の完了体の機能についての中澤英彦（1994）の次のような説明の方がさらにふさわしい。

潜在的には生ずる可能性がありながらも、ある一定の条件・場合がなければ起こらない、逆に言うならばその要件をみたせば必ず起こりうるような、偶発的な可能性に基づく反復の意味が表される。（中澤1994：89）

この説明は、反復的文脈では、ある一定の条件がクリアされると、潜在していた帰結が実現するというサイクルが成立するというように見てもよかろう。佐治が過去の事実を表す場合に条件句が用いられるという理由はこの中澤の潜在性の説明から明かであろう。

次に、小林が指摘している「確率がほぼ100％」であるということを表す「必ず」はどのようなはたらきをしているのかを考えてみると、一定の条件が達成されれば実現しうるものとしてポテンシャルに存在している個々の運動について、アクチュアルなものに転ずる可能性をとりあげ、それが極度に高いことを表すものと考えることができる。

杉村泰（2009）も次の部分も小林と同じく述語のテンスを優位とする立場にたっていることを表している。

森本（1994）は「キット」や「カナラズ」自体に推量的機能や習慣的機能が備わっていると考えている。これに対し、本書ではこのような意味は「キット」や「カナラズ」自体にあるのではなく、これらの副詞の使われた文に備わったものであると考える。（杉村 2009：90）

しかし、次の引用からわかるように、せっかく述語の一回的事態と反復的事態とを区別しながら、「必ず」は両者がともに確実に成立することを表すとする。つまり、一回的事態が確実に成立することと、反復的事態が確実に成立することを区別しないのである。

本書では「カナラズ」自体は「当該の事態が確実に成立すること」を表すにすぎず、一回的文脈ではその一回の事態が確実に成立することを表し、反復的文脈ではどの場合も例外なく事態が確実に成立することを表すと考える。一方、推量的機能は推量文という文に帰せられるもので、「今日カナラズここを通るニチガイナイ」のように一回的文脈に使われるし、「毎日カナラズここを通るニチガイナイ」のように反復的文脈にも使われる。推量的機能と習慣的機能は互いに独立した概念で、推量的機能でなけれ習慣的機能、習慣的機能でなければ推量的機能というような相互排除的なものではないのである。（杉村 2009：92）

ここで、杉村が「推量的機能と習慣的機能は…相互排除的なものではない」というのは、推量的機能に一回的文脈もあるが、反復的文脈もあるといっているのだから、おそらく非推量的機能（断定機能）においても、一回的文脈もあり、反復的文脈もあるといいたいのであろう。そして、非推量的機能においても、一回的文脈と反復的文脈で同じ確実性が表されるということになるのであろう。はたして、推量的機能における一回性と反復性の区別が非推量的機能における区別と同じものであるかどうかはおくとしても、推量的機能における確実性と非推量的機能における、確実性は同じものであるかどうか問題にしないでいいのだろうか。それを問題にする目があれば、おそらく多義説に導かれることになるはずだが、杉村はそうはせず、単義説にとどまる。

かくして、小林と杉村の説は、テンスの区別の存在を前提としてみとめるが、「必ず」に小林は確率、杉村は確実性という一つの意味しかみとめないので、単義説である。

2．呉（1999）と張（2002）の説

呉珠熙（1999）は、「必ず」の意味を、確信、習慣、その他(勧誘・命令など）に分類し、「必ず」「きっと」と述語形式の共起制限は、確信の用法においては以下のようにまとめられるとする。

〔1〕どちらも、単文レベルでは「非過去」との共起が基本で、「過去」とは共起しにくい。

〔2〕「仮定的事態」を表す文脈が与えられれば、「きっと」は「過去」とも共起可能になる（反実仮想)。しかし、「かならず」は「一回的事態」

を表す「過去」の場合は、「仮定的事態」の文脈が与えられても不自然である。

〔3〕「かならず」は「状態性の述語」、「否定形（〜ない）」と共起しない。（呉 1999：42）

「かならず」は〔2〕のように「仮定的事態」の文脈が与えられても「過去」との共起が不自然であることから、「かならず」は「確信（推量）」とは異なる意味特徴を持っているのではないかと考えられる。また、［3］の共起制限から「かならず」は「状態性」「否定」という述部の意味タイプ、つまり、「命題内容を構成する要素」と関わっていることがわかる。「かならず」に［2］と［3］のような共起制限がある理由については、本稿では「かならず」が「事態の反復的実現」という意味特徴をもっているためと考える。（呉 1999：43）

この記述は解釈がむずかしいが、「かならず」は「一回的事態」を表す「過去」の場合は、「仮定的事態」の文脈が与えられても確信の意味にはならず〔2〕、また「かならず」は「状態性の述語」、「否定形（〜ない）」の場合にも確信の意味にならないといっている〔3〕。しかし、「〔1〕どちらも単文レベルでは「非過去」との共起が基本で、「過去」とは共起しにくい」といっているが、確信でなければ、「過去／非過去」による共起制限がない。

（11）あいつ、酒を飲めば｛きっと／かならず｝飲み屋で寝るんだから。
（12）山本も、「長門」が入港すると、｛きっと／かならず｝陸の旅館で泊った。（「山本五十六」）（呉 1999：44）

また、確信でなければ、次のように「状態性の述語」、「否定形（〜ない）」

の場合にも用いることができるとする。

(13)「一番大笑いしているに違いないね。なにしろ課長補佐というのは義理人情家とみえて、一省の危急存亡を背負ったつもりでよく死んでくれる。大きな汚職事件で自殺する者は、かならず課長補佐クラスだ」(「点と線」)

(14) そんなふうに宣言する日に限って、必ずタコさえもいないものなのであった。太郎は絶望感にうちひしがれながら、アラメの林の間を捜して歩いた。(「太郎物語」)(呉 1999：44)

この場合、呉は次のように説明している。

> これは、「反復的事態」という文脈の下で、「状態性の事態」が複数的にくりかえされていることになり、結果的には「動作性を帯びる事態」として解釈できるようになるため、「かならず」との共起が可能になったと考えられる。(呉 1999：44)

その場合の「かならず」の意味特徴は「事態の反復的実現」であるとするが、これが多義のもう一つの意味「習慣」の意味である。つまり、「かならず」は、どのような文脈に現れるかという点で確信と習慣はすみわけが行われているということであろう。

「必ず」と共起するということは、反復的文脈があるということで、その状態は反復していると考えざるをえないことになる。その結果、反復的習慣的特徴をもつ「必ず」においては、状態性述語や否定形との共起制限は解除される。そして、状態性や否定性は文の表す事態の性質に関わらない「命題内容を構成する要素」という述語の構成要素に格下げされることになる。

しかし一方で、非過去の一回的事態を表す場合は未来になるが、それについては、呉（1999）は以下のように説明している。

「一回的事態」であっても「動作性述語」の非過去の場合は、その事態はまだ「未実現」のものであるから、「これから繰り返されることになる」という可能性を想定することができる。そこで、「かならず」と共起が可能になり、事態の成立が確かであるという「確信」を表すようになるのである。（呉 1999：45）

つまり、「一回的事態」であっても「動作性述語」の非過去の場合は、「反復的実現」を表す意味特徴がきいて確信の意味が実現するというのである。確信の意味をささえるものとして「反復的実現」を表す意味特徴があるものとすれば、習慣の意味と確信の意味は融合していると考えざるをえず、その点では呉の見解は多義説であるが、厳密なものではないとしなければならない。

こうした呉の主張について張根壽（2002）は次のように批判する。

ここで問題になるのは、これらの先行研究で「必ず」と状態性の述語とが共起する例を指摘しているにもかかわらず、「必ず」の共起条件に関しては、「変化性」や「状態性」といった述語レベルの記述にとどまっているということである。

本稿では「必ず」の共起条件を記述するためには、述語のみを対象とした分析では不十分であり、文全体の意味を視野に入れた「事態」という概念を導入する必要があると主張する。つまり、述語が変化の意味を持つか否かではなく、事態の生起の有無が「必ず」の成立の条件であると考える。（張 2002：52）

呉（1999）の主張が、「「必ず」の共起条件に関しては、「変化性」や「状態性」といった述語レベルの記述にとどまっている」というだけであれば、張（2002）の主張は納得できる。しかし、「文全体の意味を視野に入れた「事態」という概念を導入する必要がある」という張の主張は大雑把にすぎる。述語が条件や状況語に限定されて文として一定の事態を表すのだということを一般的にのべているだけであるとすれば、どんな文にもいえる一般論になってしまう。張も、「必ず」の意味を、確信、確率、その他の３つに分類するのだが、そのどれにも共通して、「「必ず」は「事態が生起する」という条件で成立するという統一的な記述が可能である」というのでは、多義説をとったということにはならない。

張において、反復的習慣的事態というのは、その運動が実現するという潜在的可能性を表すだけなのである。そのようにとってよければ、張のいう「事態の生起」というのは、ポテンシャルなものがアクチュアルなものに転ずることであり、「必ず」はその実現可能性の程度が高いことを表しているだけだということになる。張の見解は一見したところでは、「必ず」の意味を多義的なものとみとめているようだが、実質的には単義説である。

[2]「必ず」は「状態性の述語」、「否定形（～ない）」とは共起しない

「かならず」が「状態性の述語」、「否定形（～ない）」とは共起しないのは、それらの表す事態がすでに開始されており、しかも終結することのなく恒常的に実現している事態であるため、実現の可能性が問題になることがないからである。そうした事態であることは、文としての成立と同時に前もってテンス・アスペクト的に確定しており、「必ず」の有無によって決まるものではない。

さきに見たところでは、佐治（1986）は「必ず」は「ある種の条件句を

含んだ文中に現れる」ことが多いとしているが、この条件句とは、「冬になると」とか「夜は」であって、本格的な仮定的条件文というより、むしろ時を表す状況語といったほうがよい。つまり、これらの条件句はその文が反復的習慣的事態を表す文であることを示している。その結果、「必ず」が出現しうるのである。

また、佐治（1986）は、条件句があると「必ず」が現れやすいのに、次のような場合は例外で、それには一定の理由があるとする。

（16）「図書館はいつきても～静かだなあ」、（17）「ここはいつ来ても～さわがしいなあ」において、「いつきても」があるのに「必ず」が△なのは、述語が変化の意味を含まない状態性のもの、形容詞や形容動詞であるからだろう。（佐治 1986：11）

これらのように、譲歩の条件句のようなものがあっても、名詞文や形容詞文と「必ず」は共起しない。ただ、この文は両方とも「なあ」という終助詞がついていて、現在の直接的な感情の表出になっているため、それがない時よりさらに「必ず」は現れにくい。それらがない客観的な状態表現においても一般に反復的習慣的意味にはなりにくい。このばあいは、述語がアクチュアルであるから、非アクチュアルな反復習慣を表す副詞とは共起しないのである。実現可能性が問題にならないので、「必ず」の出番はないのであろう。

なお、佐治（1986）はさらに、次のような例をあげて、状態性の述語の特別な場合の存在を指摘する。

a．あの人は必ず英語ができます。

はまず×になる文であろう。もし○をつける人があるとすれば、その人は

その文に「英語ができるようになる」と言う変化の意味を感じとっているからだと言うことになるだろう。同じ「できる」でも、

b．この工事は必ず今月中にできます。

なら、おそらく○になるのではないか。それはこの場合の「できる」が状態性の可能でなく、動作性の可能を表しているからなのだ。（佐治 1986：12）

b.は動作性の可能という把握が適切かどうかは問題であるが、未実現の事態についていっているので実現可能性が問題になるのであろう。a.については、すでに能力をもっているという意味なので、状態性の可能ということができ、「必ず」を用いないのが正しい。しかし、一方で、a.が「できるようになる」の意味で用いられることもあるとしているが、実際に「必ず」が「できるようになる」の意味で用いられる場合は、そのまま次の例のようにいうのが普通であろう。

・最初はなかなか気持ちが入りにくいものですが、皆さん必ずできるようになります。（「手相が教えるあなたの開運期」BCCWJ）

ただ、怖じ気づいている人を勇気づけるような時だと、この例は「皆さん、必ずできます」といってもよさそうである。しかし、その場合は、未実現の事態についていっていることになるので、やはり実現可能性が問題になる。いずれにせよ、「必ず」と共起可能であるかどうかが、a.は状態で、b.は動作というような動詞の語彙的な意味によって決まるのではなく、テンス的に、a.は、すでに実現している状態を表す文であるからいえないのにたいして、b.は「これから完成する」という未実現の状態を表す文であるからいえると考えるべきであろう。なお、小林（1992）での議論を見ると、

（11）あのカメラ店はいつ行っても、必ず安い。

は言えそうである。これは「いつも必ず安く売っている。」という意味であって、繰り返されて安く売られている場合の確率を問題にしているため、正しい文だと言えよう。（小林 1992：5）

と述べられている。確かに、同様な次のような文もあるが、状態が繰り返されているという解釈はむずかしい。

・もともとは進研ゼミにいたライターさんが書いた本『東大合格生のノートはかならず美しい』(Yahoo!ブログ BCCWJ)
・新幹線が通っている地域はテレビ映りは悪いのでしょうか？　必ず悪いという訳ではありませんが、そのような場合が多いですね。(Yahoo!ブログ BCCWJ)

上は、「東大合格生」が一般的であるため、「美しい」にも一般性が生じていると考えてよいだろう。複数の東大合格生一人一人に順に注目すれば、「美しい」という事態は反復されると考えることもできるが、「東大に合格するような生徒のノートはどれを見ても美しい」と同じだとすれば、反復とはいいにくい。下は「必ずしも」とほぼ等価で、形容詞文が「必ず」と共起するのは、この「訳ではない」のような否定を伴うことがおおく、単純に形容詞述語文と共起する例とすることはできない。

この点については、さきに呉（1999：44）にも引いたので、そこの例（14）と下の例（15）とその説明を参照してほしい。当該の部分は「状態性の述語」でも、「否定形」でも反復的習慣的になるとみとめているものである。しかし、さきにものべたように、形容詞や否定形はそれだけでは、反復的習慣的用法にならない。(14）は、否定形ではあるが、一般性のよわい「存在」を表す述語であるので、反復性が感じられるのであって、これに反復性があるからといって、否定形述語一般に反復性があることにはならない。

張（2002）も、次のように、状態述語の例をとりあげ、状態の反復ということがありうるとしている。

(15)「ヨーロッパでは、まず病院に必ず礼拝堂がある。薬で病気をなおす以外に、心をいやさねばならんからな。死ぬ人間には、死ぬ準備をさせなきゃいかん。大学にも礼拝堂のあるところは多い。」（「太郎物語」）（以下、他の用例略）

(15）は「～ニ（ハ）～ガ　アル」という存在構文であり、「ある」も状態的によみとれる、「必ず」は自然に共起している。この場合の「必ず」は「病院には礼拝堂がある」という事態が、ヨーロッパではほぼ 100％の確率で存在するということを表しており、結果的に「病院」と「礼拝堂」の複数読みが可能である。「＊この病院には必ず礼拝堂がある」のように、「病院」と「礼拝堂」の複数読みができない文脈では「必ず」は共起しない。（張 2002：54）

形容詞などの場合とはちがって、この例は、存在の複数性が条件と結果で呼応しているさまをとりあげているもので、反復性を表していると考えることができる例である。「状態性の述語」、「否定形（～ない）」は、しかし、一般的には反復的習慣的意味にはならない。

なお、「否定形（～ない）」とは共起しにくいという点については、なおさらに考えなければならない。佐治（1982）は次のようにのべている。

「必ず」は否定形の述語とも共起し難いようである。(15）「油性マジックなら～消えません」において、「必ず」が△なのは、「油性マジックなら」

という条件句があっても、述語が「消えない」という否定形だからだと推定される。述語が「消えます」ならば、きっと○になっていたに違いない。否定形も、その文末が形容詞と同じ「〜しない」であることからも分るように、状態性の述語なのである。（佐治 1982 : 12）

これは「必ず」の有無にかかわりなく、否定形が反復的習慣的意味にはならないことを指摘したものといえる。確かに、「油性マジックなら〜消えません」においては「油性マジックを使う」ごとに「消えない」という事態が起こることを表すと考えることもできるはずだが、そうはならない。つまり、実現可能性が問題にならないため、「必ず」は一般には使えない。

しかし、事態の状態性には段階があり、必要・不必要が問題になる次のような例では「必ず」を用いることもできる。

・彼が何歳で科挙に及第したか、といった科挙に関する項目は、必ず欠かせない。（「物語韓国人」BCCWJ）

「欠かせない」という必要性は「かくことができない」という必然性にいいかえられるように、いずれは決定的になるのだが、現在のところは未実現であることを表すので、実現可能性が問題になるのであろう。

[3]「必ず」は「一回的事態」を表す「過去」の場合は、「仮定的事態」の文脈が与えられても不自然である

呉(1999)にはこの点について以下のような記述がある。

（「確信」の意味では）既に起きた「過去」の事象を表す過去形とは共起しにくいという共起制限がある。（佐治，1986）

(5) ＊私は昨夜ここに財布があるのを{きっと・かならず}見ました。(佐治，1986 の例)

しかし、「きっと」の場合は、仮定的な事態が文脈に与えられていれば、次のように「過去」と共に使われることもある。

(6) ??私はきっと事故を起こした。

(6) ‘あの時徹夜した後なので、もし運転していたら、**きっと**事故を起こした。(小林，1992 の例)

これに対して「かならず」は「確信」を表す場合、仮定の話という文脈が与えられても「過去」とは共起しにくいといえる。

(6) “??あの時徹夜した後なので、もし運転していたら、**かならず**事故を起こした。(呉 1999：42-43)

しかし、実際に次のような例も存在し、こうした場合は「必ず」も十分使うことができる。

・「ジェネラル（将軍＝石原莞爾）は法廷で、自分が戦争をしたら戦争は必ず勝っていたといわれたが、どのような戦争をされたのか（「検定不合格教科書になれなかった史実」BCCWJ）

つまり、（6）の例は、「必ず」が確信を表すと考えればいえることを示しているので、これをみとめれば、「必ず」は多義的であるとすることができる。

これに関連して、例（15）についての張の議論［2］のなかで、「＊この病院には必ず礼拝堂がある」という例も「必ず」が確信を表すとすれば、非文にはならない。

[4]「必ず」は一般的事態と共起する

「必ず」が共起する文は叙述文であることも、勧誘や働きかけ文であることもある。また叙述文であっても、無標的な断定文であることも意志・推量文であることもある。次のような例がそれである。

・「インターネットを社会インフラとして考えると、セキュリティが問題になる時が必ずくる」と考えていた。(「実際の日本の技、日本の匠」BCCWJ)
・すべての事情を話してくれれば、何者が島崎を死に至らしめたか、必ずわかるだろうと思った。(「二階堂警部最後の危機」BCCWJ)

無標的な断定文のなかでは、「必ず」は反復的習慣的事態を表す文と共起することが最も多いが、張のあげる以下の例のような普遍的一般的な事態を表す文とも共起する。普遍的一般的な事態は反復性を表さないので、確率100%である意味にはならないはずであるが、「必ず」が現れる。その理由はどのように考えたらいいか。

張(2002)は、普遍的一般的意味について、頻度を表す「いつも」と「必ず」の共起制限から検討するため、次のような例をあげる。

(31)「先生にききました。生きてる者は必ず死ぬ。会った者は別れるって」(三浦綾子「塩狩峠」)
(32) どこのジムにも必ずある姿見用の大鏡の上を見ると、金子ジムの所属のプロボクサーの名札が貼ってあった。(沢木耕太郎「一瞬

の夏」)(以下の例、略)

(31)のような普遍的な現象を表す場合、「必ず」は言えても「いつも」は言えない。その理由として、(31)は「生きてる者は死ぬ」という確率が100%であることを表しているのであって、一定の期間中に繰り返して起こる反復的な事態を表すものではないからだと言える。(32)の「必ず」も、「ジムに姿見用の大鏡がある」という事態の確率を表しているので、「いつも」は言えないと考えられる。また、(32)は、事態が存在する回数を表す意味で、結果的に「ジム」と「姿見用の大鏡」が複数存在するという解釈が成り立つ。(張2002：59)

確かに、「いつも」は一定の期間中に繰り返して起こる事態であることを単純に表すのにたいして、「必ず」は運動の実現可能性が100%であることを表すので、両者の表している意味は異なる。一方、普遍的一般的意味も、反復的習慣的意味とは異なるように見える。しかし、普遍的一般的意味はその事態の反復や習慣から具体性が除かれ純化することによって獲得されるものであると考えられる。そうして出来上がった普遍的一般的意味は、「必ず」に修飾されることによって、その出発点である反復的習慣的意味に関係づけられるのではないかと考えられる。その結果、実現の確率が100%であるという意味になるのではないかと考えられる。張(2002：54)の例としてすでにだした例(15)(「ヨーロッパでは、まず病院に必ず礼拝堂がある」)もこうした場合であった。つぎの例のような場合は一層そうした傾向が強まる。

・走輔「美羽を返してもらうぜ！」連「悪は必ず滅びるっす！いつの時代も！」(Yahoo!ブログ BCCWJ)
・毎日、歯磨きとシャンプーをする。リンスは3日に1回は必ずする！(Yahoo!知恵袋 BCCWJ)

・散歩のときは、次のことを必ず守りましょう。1　首輪・リードは必ずつける。2　フンや汚物は必ず持ち帰る。放置や公園内に埋めるなどは禁止。(「市報べっぷ」BCCWJ)

「悪は滅びる」はそれだけで格言的で、次の例も、日常生活のルーティーンの箇条であり、一見格言的であるが、実際の生活のいちいちの場で繰り返されるという反復性を含意することによって、その実現の程度が問題にできる。また、そのあとの例はマニュアル的で、注意事項であり、いちいちの場面で反復されることが要求されるので、やはりその実現の程度は当然問題にできるのである。「必ず」に修飾されることによって、実現の確率が 100%であるという意味になる所以である。

参考文献

寺村秀夫（1971)「‘タ’の意味と機能―アスペクト・テンス・ムードの構文的位置づけ」(岩倉具実教授退職記念論文集『言語学と日本語学』くろしお出版)

鈴木重幸（1979)「現代日本語の動詞のテンス　―終止的な述語につかわれた完成相の叙述法断定のばあい　―」(『言語の研究』むぎ書房)

工藤浩（1982)「叙法副詞の意味と機能　―その記述の方法をもとめて―　」(『国立国語研究所報告　71　研究報告集3』)

佐治圭三（1986)「「必ず」の共起の条件　―「きっと」「絶対に」「どうしても」との対比において―　」(『同志社女子大学学術研究年報』4、『外国人が間違えやすい　日本語の表現の研究』ひつじ書房1992所収))

小林典子（1992)「「必ず・確かに・確か・きっと・ぜひ」の意味分析」(『筑波大学留学生センター　日本語教育論集』7)

森本順子（1994)『話し手の主観を表す副詞について』(くろしお出版)

中澤英彦（1994)「現代ロシア語における動詞完了体による反復性と例示的意味の表現の問題によせて」(『東京外国語大学論集』48)

高木一彦（1999）「単語のもつ意味的特徴の階層性について　副詞のばあいで」（『国文学解釈と鑑賞』812）
呉珠熙（1999）「「きっと」と「かならず」の意味・用法」（『筑波応用言語学研究』6）
張根壽（2002）「「必ず」の共起条件と意味」（『筑波日本語研究』7）
杉村泰（2009）『現代日本語における蓋然性を表すモダリティ副詞の研究』（ひつじ書房）、
王冲（2010）『認知言語学的観点から見た日本語　陳述副詞の意味と習得　―日本語教育のために―　』（専門教育出版）
工藤浩（2016）『副詞と文』（ひつじ書房）
鈴木泰（2018）書評：工藤浩著『副詞と文』（『日本語の研究』14-3）

【追記】

拙論のきっかけとなった『副詞と文』の著者、工藤浩が何と言うか気になっていたのだが、著者は本年 2 月 19 日に亡くなったので、拙論が当人の目に触れることがなくなったことが悔やまれる。謹んでご冥福を祈る。

日本語の使役文における副詞による V-(サ)セルへの修飾

Adverbial Modification in Japanese Causative Sentences

早津　恵美子
HAYATSU Emiko

要旨

文中に副詞を含む日本語の使役文（「a 監督が選手をゆっくり走らせた」「b 監督が選手を強制的に走らせた」「c たしかに監督は選手を走らせた」）について、副詞が文中のどの要素と意味的な修飾関係にあるかについて考察した。修飾関係には主として、副詞がVのみを修飾している場合（上のa)、V-(サ)セルを修飾している場合（上のb)、そして使役事態全体を修飾している場合（上のc）があること、そしてそれは、副詞が動作主体や動作対象について特徴づけるものである場合にはVへの修飾になり、使役主体について特徴づけるものである場合にはV-(サ)セルへの修飾になり、陳述的な性質をもつ副詞である場合には使役事態全体への修飾になるという傾向を確認した。また、簡単にではあるが、V-(サ)セル以外の語形（「V-(ラ)レル」「V-ナイ」等）についても副詞による修飾のあり方を観察したところ、それらの中にも動詞の諸語形への修飾とみなせそうなものがあることが気づかれた。副詞と動詞からなる連語を考えるとき、以上のような現象をどう位置づければよいのか、今後の課題として考察を続けたい。

キーワード：日本語の使役文、副詞、副詞による修飾、副詞と動詞からなる連語、連語の要素としての「V-(サ)セル」

目次

1．はじめに
2．先行研究
3．副詞による V-(サ)セルへの修飾の意味的なあり方
4．動詞の種々の語形への副詞の修飾
5．おわりに

1．はじめに

次の 3 つの文はいずれも、「走らせる」を述語とする使役文が副詞（連用修飾語）によって広げられている。

(1) 監督がけがをした選手をゆっくり走らせた。
(2) 監督がけがをした選手を強制的に走らせた。
(3) たしかに監督はけがをした選手を走らせた。

これらにおける副詞による意味的な修飾関係をみると、(1)の「ゆっくり」は「選手」の動作の様子を述べているので、「走る」を修飾している。それに対して、(2)の「強制的に」は「選手」の動作についてではなく、「監督」が「選手」に対して働きかけているいわば使役動作の様子を述べているので、「走る」ではなく「走らせる」を修飾していると考えられる。

(1') 監督がけがをした選手をゆっくり走らせる。(⊃選手がゆっくり走る)
(2') 監督がけがをした選手を強制的に走らせる。(⊃選手が走る)

一方、(3)の「たしかに」は、〈監督ガケガヲシタ選手ヲ走ラセル〉という事態（文の対象的な内容）について話し手の立場から主体的な関係づけをする機能をはたしている（陳述性）。副詞による修飾という言い方をするとすれば、使役事態全体への修飾といえる。

このように、使役文の中で用いられている副詞が文のどの要素を意味的に修飾しているかにはいつかのタイプがありそうである。本稿では、そういった種々を確認し、修飾のあり方に違いを生み出す文法的な性質はどんなことなのかを考えてみる。

そして本稿ではまた、詳しくは考察できないが、V-(サ)セル以外の動詞の語形（V-(ラ)レル、V-ナイ、V-テイル、V-テイク、など）についても、副詞が動詞（V）のみを修飾する場合とそうでない場合とがあるのか、あるとすればどのようなものなのかについて、主として新川（1979、後述）で挙げられている用例を中心に観察する。

なお、本稿では「副詞」をいわゆる学校文法における副詞よりも広くとり、動詞を修飾するという機能を重視して、形容詞・形容動詞の連用形（上の新川 1979 では「中止形」）が動詞を修飾して副詞的に機能しているもの（「小さく切る」「静かに歩く」）や、動詞のテ形や名詞のト格/デ格のうち副詞へ転成しているといえるもの（「はじめて行く」「わざと倒す」「裸足で歩く」）も広く副詞として考察する。上の新川（1979）もほぼ同様である。

2. 先行研究

ここでは、副詞（あるいは連用修飾成分）による動詞への修飾関係について考察された研究のうち本稿との関係で学んだものを紹介する[1)]。

2.1 新川忠（1979）「「副詞と動詞とのくみあわせ」試論」[2)]

副詞と動詞との主として意味的な関係を広くとりあげた研究として新川

---

1. ここにあげた以外の研究のなかにも学ぶべき論考が多いと思われる。今後広げていきたい。
2. 以下、この節と第 4 節において新川（1979）の用例を引用する際には、新川（同）であげられている例の長さを短くすることなく全文を引用する。やや状況がわかりにくいものもあるが新川（同）の原文のままである。下線の長さもそのままである。
　なお、下線の種類は、原文では、副詞に一重下線、動詞に二重下線が付されているが、本稿では、他の部分との統一のため、動詞に一重下線、副詞に二重下線を付した。

（1979）がある。新川（同）では、副詞と動詞のくみあわせにみられる「むすびつき」のタイプが、まず大きく「規定的なむすびつき」と「状況的なむすびつき」に分けられ、前者がさらに、質規定的、結果規定的、量規定的、方法規定的に分けられている。

(4) I　規定的なむすびつき

1　質規定的なむすびつき　：のろのろ進む、とおくはなれる

2　結果規定的なむすびつき：こまかくきる、かさかさにかわく

3　量規定的なむすびつき　：たくさんある、たかくのぼる

4　方法規定的なむすびつき：科学的に分析する、たかく売る

II　状況的なむすびつき：ところどころくりぬく、早く結婚する、わざと言う、退屈まぎれに指を動かす

用例が豊富に挙げられており[3]、その中に、副詞とくみあわさる「動詞」としてV-(サ)セルであるものが3例ある（但し、特にそれと注意されているわけではない）。

（この2.3節および4節で新川（同）の例文を引用する際、本稿での例文番号の後ろに新川（同）での例文番号を[　]で示す。また、それぞれの用例のあとの【　】は新川（同）で分析されたむすびつきのタイプである。）

(5[8]) かちんかちんと金槌の音をひびかせて、（黒い雨）【規定的（内容+量）】

(6[20]) ほうたいをはずして、左の腕をゆっくり上下させたりなどしていると、（青い山脈）【質規定；はやさ】

(7[32]) 沼田はふとたちあがると、左手をつるしたほうたいからはずし

3.「腹が異常にかたくふくらんでいた[161]」のような「形容詞の中止形とみることができそうである」という例を数例含むが全334例である。

て、ためすように大きく回転させたが、（青い山脈）【質規定；ゆれはば】

これらの例はいずれも、物の変化の引きおこしを表す使役文である。一般に、人の意志動作の引きおこしを表す使役文（「親が子供に皿を洗わせる」）が表すのは、使役主体から動作主体に対して動作を行うよう何らかの働きかけがなされ（命令、指示、依頼、許可等）、それを受けて動作主体が動作を行うという事態であり、使役の事態に二重性をみることができる。それに対して、物の変化の引きおこしの場合には、事態のそういった二重性はうかがいにくい[4)]。上の 3 例は、V-(サ)セルの代わりに類義の他動詞でも表現できること（「かちんかちんと金槌の音をひびかせて｛≒たてて｝」「左の腕をゆっくり上下させたり｛≒上下に動かしたり｝」「左手を大きく回転させた｛≒まわした｝」）にもそのことがうかがえる。このようなことから、上の3 例においては、副詞はV-(サ)セルを修飾しているとみなすことができる。

後述するように（4 節）、新川（同）の用例には、これ以外にも動詞の種々の語形（形態論的な形）の例が含まれるのだが、全体として、語形の種類と修飾構造との関係についてはとくに言及されていない。例文によっては、下線の範囲によって修飾関係が示されているように思われる場合もあるが、必ずしも統一されていないように思われる（4 節で触れる）。新川（同）では、全体として、「副詞と動詞とのくみあわせ」というときの「動詞」の形態論的な形の違いには重きがおかれていないようである。本稿では、副詞とくみあわさる動詞としてV-(サ)セルを積極的にみとめて、副詞による修飾関係を考えることにする。

4. 使役文のこのような特徴については佐藤（1986）に詳しい。

2.2　石神照雄（1977）「連用修飾の構造―動詞文における属性の立体的表現ー」

石神（1977）では、いわゆる連用修飾の構造の質的な多様さについて論じられている。使役文についてもわずかだが本稿に関わる指摘があるので、その点について簡単に紹介する。

石神（同）ではまず、「しだいに／じょじょに」と「ワイワイ」について、「しだいに／じょじょに」は動詞を修飾することはできるが形容詞を修飾することはできないのに対して、「ワイワイ」はいずれをも修飾できることが示される。

(8) a ｛*しだいに／*じょじょに｝柿の実が赤い。
　　b ｛しだいに／じょじょに｝柿の実が｛赤くなる／赤らむ｝。
(9) a 子供が外でワイワイとさわがしい。
　　b 子供が外でワイワイと｛さわがしくする／さわぐ｝。

この違いについて、それは動詞には実質的な意義の面（意義質の層）と意義の時間的な展開のしかたを表す時間的性質の面（展開質の層）があるのに対して、形容詞には〈意義質の層〉はあるが〈展開質の層〉は存在しないことによるという。すなわち、「ワイワイ」は〈意義質の層〉に関する修飾であるので、形容詞でも動詞でも修飾できるのに対して、「しだいに／じょじょに」は〈展開質の層〉に関する修飾であるので、それを欠く形容詞を修飾することはできないという。

そして次に、「〈意義質の層〉に関する修飾」について、修飾語の意義質と被修飾語の意義質との意味的関係という面と、その内部構造の面とが検討される。このうち本稿に関係するのは後者であるのでそれを紹介する。

まず次の 2 類の構造が比較され、(10)の「のんびり／早く」が修飾しているのは動作主体である「太郎」の様態なので〈主体質修飾〉であり、(11)の「白く」が修飾しているのは動作の対象である「壁」の様態なので〈対象質修飾〉であるとされる。

(10) 太郎が壁を｛のんびり／早く｝塗る。

(11) 太郎が壁を白く塗る[5)]。

そして、次の使役文をあげ、この文は二義的であって、「早く」は「太郎」についての〈主体質修飾〉であるとも、「次郎」についての〈媒介者質修飾〉であるとも考えられるとする[6)]。

(12) 太郎が次郎に壁を早く塗らせる。

本稿との関係でいえば、主体質修飾（使役主体への修飾）であるときの「早く」は「塗らせる」を、媒介者質修飾（動作主体への修飾）であるときの「早く」は「塗る」を修飾しているということであり、使役文において、副詞が使役動詞（V-(サ)セル）を修飾することも原動詞（V）を修飾することも可能なことが述べられている。

2.3 小矢野哲夫（1982）「副詞の意味記述について－方法と実際－」

小矢野（1982）では、副詞の精密な意味記述のためには「他の言葉と共起する統語上の使用条件（統語的環境）」（p.39）を明らかにすることが助けになるとして、副詞が共起する述語の種類を文末述語の表現形式などによっていくつかの段階に分け、副詞との共起の可否が調べられている。副詞とボイス形式との共起関係にも触れられて[7)]、「見せかけの共起」という

5. 〈対象質修飾〉のものとしてほかに「太郎が紙を短く刈る」「花子が部屋をきれいに掃く」「次郎が靴をピカピカにみがく」があげられている。
6. 文の自然さ、解釈の自然さからいうと、この「早く」は「塗る」の修飾であるように思われるが、両方の解釈が成り立つのも確かである。
7. 他にも、アスペクト形式、肯定否定、過去非過去、許可、勧誘、希望（～たい）、比況（～ようだ）等についても、副詞との共起の可否が調べられている。

捉え方が示されている。まず「わざと」と「力一杯」について「受動のボイスと共起する」か否かが観察される（下線は早津）。

(13) a「太郎は次郎をわざと殴った」（能動文）
　　b「次郎は太郎にわざと殴られた」（受動文）
(14) a「太郎は次郎を力一杯殴った」（能動文）
　　b「次郎は太郎に力一杯殴られた」（受動文）

これらの例において、(13)の「わざと」の修飾対象は、能動文では「殴る」であり、受動文では「殴られる」である。それに対して、(14)の「力一杯」は、能動文で「殴る」を修飾しているのはもちろん、受動文においても、「「力一杯」の修飾対象は「殴る」ことであって「殴られる」ことではないという解釈が成り立ち、「力一杯」が受動のボイスに現れるのは見せかけの共起でしかなく」（p.42、下線は早津）とされている。

そして、「何気なく」と「さりげなく」が使役のボイス（ヴォイス）形式と共起するか否かについても述べられており、次の文の「何気なく」「さりげなく」はいずれも「振舞う」ではなく「振舞わせる」を修飾しているので、これらの副詞は使役とのあいだに見せかけの共起ではない共起が成り立っているとする。

(15) a 太郎は何気なく次郎にそう振舞わせた。
　　b 太郎はさりげなく次郎にそう振舞わせた。

小矢野（同）に挙げられている使役文は上例のみで、副詞と使役が「見せかけの共起」をなしている例はあげられていないが、先の例文(1)「監督がけがをした選手をゆっくり走らせた」は小矢野のいう見せかけの共起にあたる。そして、例文(2)「監督がけがをした選手を強制的に走らせた」は見せかけではない共起だといえる。

2.4 高木一彦（1997）「副詞と陳述詞—その意味構造について—」

高木（1997）は、副詞と陳述詞（いわゆる陳述副詞）には、「文法的な機能にも文法的な意味にもきわだったことなり」（p.125）があると認めたうえで、具体的な例の検証を行いつつ、「話し手（文の作り手）の態度が意味特徴におきかえられ、語彙的な意味の一部として一般化され、副詞のなかに定着しているばあい」があること、そして「典型的な副詞と陳述詞との双方の文法的な意味・機能をあわせもつ副詞のあること」が指摘される。

まず、「副詞の語彙的な意味の内部における意味特徴の階層には、質をことにする意味特徴のミクロのたばがいくつかあり、それが何層かの層をなして存在する」（p.127）として、3 つの階層がとりだされている。すなわち、「A タイプの階層；動作・動き・状態に内在する客観的な特性の意味特徴のたば」、「B タイプの階層；その動作・状態にたいする動作主体・状態のもちぬし主体の姿勢とか意図とか積極性とか評価といった意味特徴のたば」、「C タイプの階層；その動作・状態とそれへの姿勢にたいする、話し手による解釈や評価といった意味特徴のたば」という 3 種の階層である。そして、副詞にはこれらの階層の意味特徴のたばを単独でもっている副詞と 2 つ以上をあわせもっている副詞があるとして、次の副詞があげられている（語例の例示における「……」は高木のままである）。

〈A　タイプ〉もくもくと、どんより、ふらふらと、ぎっしり、……
〈AB タイプ〉じっくり、猛然と、さっさと、まんまと、……
〈ABC タイプ〉いそいそ、そそくさ、せかせか、しぶしぶ、……
〈AC タイプ〉おめおめ、のめのめ、わざわざ、……
〈BC タイプ〉わざと、断固、いやいや、あたふた、おどおど、……
〈B　タイプ〉うっかり、みずから、（すすんで）、……
〈C　タイプ〉せっかく、あくまで、いったい、はたして、……

これらのうち〈C タイプ〉は陳述詞（陳述副詞）だが、副詞（一般の副詞）

の中にも意味特徴の階層的な構造をみることが重要だとされる。たとえば上例のうち「さっさと」(AB タイプ) と「いそいそ、そそくさ、せかせか」(ABC タイプ) は、いずれも〈動作の様子のはやさ〉という A の階層の意味特徴と〈動作主体の動作への積極性〉という B の階層の意味特徴を合わせもっている点で共通しつつ、後者はさらにC の階層の意味特徴として、「いそいそ」には、楽しそうと感じる〈一般化された話し手〉による〈価値づけの気持ち〉、「そそくさ」には、そっけないと感じる〈一般化された話し手〉による〈マイナスの価値づけ〉、「せかせか」には、その行動をせわしないと感じる〈一般化された話し手〉のマイナスの価値づけがかぶさっているとされ、類義語といえるこれらの副詞のそれぞれの意味が明瞭に説明される。

本稿の考察との関係を簡単に述べると、副詞が V-(サ)セルへの修飾となる例および、使役事態全体への修飾となる例において、副詞の内包する B および C の階層の意味特徴が関わってくると思われることが多く、その点で本稿にとって非常に示唆的である。

3. 副詞による V-(サ)セルへの修飾の意味的なあり方

1 節の冒頭で、使役文における副詞が文の他の要素といくつかの異なる修飾関係をなしていることをみた。

(16=1 再掲) 監督がけがをした選手をゆっくり走らせた。
(17=2 再掲) 監督がけがをした選手を強制的に走らせた。
(18=3 再掲) たしかに監督はけがをした選手を走らせた。

本稿ではこの(16)(17)(18)のような関係をそれぞれ、「原動詞 (V) への修飾」「使役動詞 (V-(サ)セル) への修飾」「使役事態全体への修飾」とよび、それぞれの修飾関係が表されているあるいはよみとれるのはどのような場合なのかを考えてみる。

なお、本稿の例文における下線について説明しておく。副詞には二重下線を付す（「ゆっくり食べさせる」)。またV-(サ)セルについては、Vへの修飾とみとめられる例とV-(サ)セルへの修飾とみとめられる例とで、下線の範囲を変えて両者の違いを示すことにする。すなわち、Vへの修飾の場合には動詞の語幹の部分にだけ、一方V-(サ)セルへの修飾の場合にはV-(サ)セル全体に下線を付す（「ゆっくり食べさせる」「無理やり食べさせる」)。いわゆる五段動詞とサ変動詞については、ひらがな表記では正確に語幹部分を示すことはできないので、便宜的に「歩かせる」「たたせる」「勉強させる」のように付すことにする。ただし、Vへの修飾ともV-(サ)セルへの修飾ともみられるものやいずれかに決められないものはV-(サ)セル全体に下線を付す。

3.1 原動詞（V）への修飾[8]

副詞による原動詞（V）への修飾だと考えられるのは大きく2つの場合がある。すなわち、動作主体に注目して特徴づけを行っている場合と動作対象に注目して特徴づけを行っている場合（これはVが他動詞であるとき）である。

3.1.1 動作主体への注目

(A) 動作主体がその動作をするときの具体的な様子（スピードや丁寧さや強弱など）を特徴づけている副詞はVへの修飾である。

(19) 彼女が指し示すソオファの上には、三越へ頼んで大急ぎで作らせた着物と丸帯とが、包みを解かれて長々と並べてあります。(痴人の愛)

(20) 田中正造は、……佐部彦次郎を現地に派遣して、被害の実況

---

8. これは、小矢野（1982）のいう「（副詞と使役との）見せかけの共起」にあたる。

を詳細に調査させた。（田中正造の生涯）

(21)「荷物を慎重に運ばせる」「薬をひといきに飲ませる」「{ゆっくり／静々と} 歩かせる」「はっきり発音させる」「ロープを強く握らせる」「犬の頭をそっとなでさせる」「タオルをぎゅっと絞らせる」

次の例は、身体部位を表す名詞[9]のデ格が副詞相当として用いられ、動作主体がその動作を行う時の自身の身体の状態を特徴づけている。

(22) 言葉の遅れをとりもどすためには、頬の筋肉をよく使うようにすること、はだしで歩かせたり、指先をよく使って刺激するように、っていわれたそうです。（「待ち」の子育て）

(23) 昼間疲れさせれば、夜眠ってくれるだろうと思い、窓を開け放して裸でさせたり、手足を曲げ伸ばしして体操をさせたりした。（重い歳月）

(24)「壺を両手で運ばせる」「すり足で歩かせる」

(B) 動作をするときの動作主体を人数的に特徴づける副詞もVへの修飾となる。純粋な副詞はあまりなく、「子供だけで／1人だけで」のような「N-ダケデ」や、集団を表す名詞のデ格がこの類にみられる。

(25) よく三堀母子に言いふくめて、二人だけであやまりに出向かせた方がよかったかもしれないと、信夫は悔やんだ。（塩狩峠）

(26) 曾根が第一に大臣を床の間の前へ案内しようとすると、大臣は自分と同じフロックコオトを着た、まだ三十位の男を促して一緒に

9.「足でける」「手でつかむ」における「足」「手」は具体名詞だが、「はだしで歩く」「片手でつかむ」における「はだし」「片手」は物というより足や手の状態を表している。

席を立たせた。(青年)

(27) 主人の喜兵衛は、妻や使用人を交替で外出させ、花火見物を許しているので店は手薄である。(一橋隠密帳)

(28) 「みんなで運ばせる」「子供だけで買い物に行かせる」「3人ずつ走らせる」「共同で調べさせる」「グループで発表させる」

(C) 動作主体が動作をするときの動作の起こし方や動作を行うときの気持ちなどを特徴づけている副詞がありこれもVへの修飾である。

(29) 農民を自主的に動き出させるためにはどうしたらよいか。(メキシコからの手紙)

(30) 採用された指導の観点と方法に大きな問題点があった。すなわち教師の側で決めた手順にしたがってくり返しの練習をさせ、子どもに自主的に考えさせることは軽視する方法をとるのが普通だったのである。(障害児と教育)

(31) 私はたまにはいっさいの規制を解いて、生徒に自由にものをいわせてみるのもよいと思った。(中学校は、いま)

(32) 子供は思うまま自由に遊ばせておく方が、かえって丈夫にのびやかに育つものだと思います。(おさなごを発見せよ)

(33) 「子供にすきなだけ食べさせる」「子供を思い切り遊ばせる」「自習室を生徒に勝手に使わせる」

(D) 動作主体が動作をするときの動作そのものの量を表す副詞も、まずはVへの修飾である。

(34) 私たちは、卒園期の子どもにはもっともっと楽しいことをいっぱいやらせたい……って気持ちでいっぱいなんです(「待ち」の子育て)

(35) 保育の面から考えると、……美しい自然の中でたっぷり遊ばせる

ことだ。心の豊かさやしなやかな感性はその中でこそ育つ。(「待ち」の子育て)

(36) 昼メシだけはまあまあ食えるのも、食い物で{俺たちの}気をひいてもっと働かせようって魂胆だ。(北帰行)

(37) 「たくさん歩かせた」「選手たちをしばらく休ませた」

(E) 動作主体がその動作をすることについての、動作主体にとっての目的が示されるときも、それはVへの修飾となる。ただし、純粋な副詞の例はみつけられず、動詞の連用形に「-ニ」のついた形「V-ニ」の例である。動詞が他動詞の場合には「N-ヲ V-ニ」(「英語を習いに」) 全体で動作主体の目的を表現することになる(下の 40)。その場合は副詞による修飾と言いにくいかもしれない。

(38) よく三堀母子に言いふくめて、二人だけであやまりに出向かせた方がよかったかもしれないと、信夫は悔やんだ。(塩狩峠)

(39)「作業中に交替で涼みに行かせる」

(40)「3歳から英語を習いに行かせている」

3.1.2 動作対象への注目

原動詞が他動詞の場合には、動作主体の動作がむけられる対象(動作対象)を特徴づける副詞が用いられることがある。この場合もVへの修飾である。

(F) 動作対象の量や状態を特徴づけているものがある。まず、量を特徴づけるものとして次のような例がある。

(41) 佐助に琴台と云う号を与えて門弟の稽古を全部引き継がせ、(春琴抄)

(42) アレクサンドロス大王は、征服した東方世界に自分の名をとどめ

た都市をいくつも建設させた。(死の思索)

(43)「イチゴを{3つぶ／ひとつだけ}食べさせる」

次の「洗いざらい」「たっぷり」「鉢いっぱい」も動作対象の量を特徴づけているが、純粋な量だけでなく動作主体あるいは話し手の評価的な意味合いも入っているかもしれない。高木(1997)のいうAタイプの階層の意味特徴とBあるいはCタイプの階層の意味特徴をあわせもつ副詞なのではないか。数量を具体的な数字で表すものでないと評価性がつきまといやすいのかもしれない。

(44)「御病人がまえからもっているだけの悪態をつかしておあげするのがこの職業だという気がするときもあります。洗いざらい云いつくさせてあげて、その方からすっかりいやなことばを抜いて、お見送りするんです。(おとうと)

(45)「イチゴを{たくさん／たっぷり／鉢いっぱい／たんと}食べさせる」

一方、動作対象の状態を特徴づけるというのは次のような場合である。名詞のうち状態性のもののデ格の形である。

(46)「たまごを{なまで／半熟で}食べさせる」「荷物を簡易包装で送らせる」

(G) 使役事態が実現した後に動作対象の状態に変化が生じることがあり、その状態を特徴づける副詞もVへの修飾となる。この類においても、下の(48)「すっかり」には評価的な意味合いも読みとれる。このことについては3.2.2節であらためて述べる。

(47) レースのハンカチで目を押さえて、改札のところでちかちゃんは私に雄一の泊まる宿の地図と電話のメモをくしゃっとにぎらせた。（キッチン）

(48) 「叔母さん、すこし吾家も片付きました。ちとどうぞいらしってください。経師屋を頼みまして、二階から階下まですっかり張らせました」（家）

(49) 「ケーキを｛半分に／ちいさく｝切らせる」「箱を｛じょうぶに／頑丈に｝つくらせる」「タオルをかたく絞らせる」

3.2 原動詞（V）への修飾とはいえないもの

次に、副詞による修飾がVへの修飾とはいえないものについて考える。V-(サ)セルへの修飾だとみられるもの、Vへの修飾ともV-(サ)セルへの修飾ともとれるもの、そして、V-(サ)セルを含む使役事態全体への修飾と考えられるものがある。

3.2.1 使役動詞（V-(サ)セル）への修飾

副詞がV-(サ)セルへの修飾になるのは、使役主体に注目して何らかの観点からその特徴づけを行っている場合である。

(A) まず、使役主体がある動作を他者（動作主体）に行わせるときの、使役主体にとっての思惑を特徴づける副詞の例がある[10)]。これらの副詞は、高木（1997）のいう〈Bタイプ〉あるいは〈ABタイプ〉の副詞にあたると思われる。

(50) 夫人はそう言いながら、健気な虚栄心を働かせて、わざとかづの目の前で女店員にたった三箇のオレンジを包ませた。（宴のあと）

---

10. 新川（1979）において「わざと邪慳にいった」「わざと笑って」「わざわざ手紙に書く」「たいくつまぎれに人さし指を動かして」などを「状況規定的なむすびつき」のうちの「目的のむすびつき」にしていることにならった。

(51) その年に、治憲は国神の春日大社と白子神社に内使を送って、ひそかに誓詞を納めさせた。(夜の橋)

(52) {店をおとずれる}薬の客に出す為に特に焼かせたという昔の茶呑茶碗から、(家)

(53) 歌島丸には無線の設備がなかった。……そこで、鰹船の無線長が、台風の進路や方向に関する情報を、逐一歌島丸の船橋へ連絡させた。(潮騒)

次の V-テ形は副詞に転成しているというよりまだ動詞の一語形かもしれないが、副詞的に機能して使役主体が使役事態を引きおこすときの思惑を述べている。

(54) 元禄の町人は二代目の嫡子にも競って遊芸を学ばせ、(日本文化と個人主義)

(55) 閉会のとき楽隊が軍艦マーチを演奏しました。幹部があわてて中止させました。(光)

なお、「ためしに」も副詞とはいいきれないかもしれないが、「その仕事をためしに太郎にやらせたら驚くほど手際がよかった。」のように用いられると、この「ためしに」は使役主体の思惑を述べておりV-(サ)セルへの修飾だといえる。

(B) 使役主体が動作主体にある動作を行わせようとする場合、ふつう使役主体から動作主体に対して何らかの働きかけをすることになるが、そのときの使役主体の態度や心情を特徴づける副詞があり、それもV-(サ)セルへの修飾となる。これらの動詞にも高木(1997)のBあるいはCタイプの要素がありそうである。

(56) 警戒区域にして、強制的に住民を立ち退かせたとして、もし何も起きなかったら—もちろん、それがもっとも喜ばしいことですが

—……（復興の「教訓」）

(57) 男の子の母である若い嫁は、たんすの中から、白粉と脱脂綿をとり出して雪子に無理に受け取らせた。（青い山脈）

(58) 相手は商売人だから、なかなかうんと云わなかったのだが、やっとのことで強引に引き受けさせたのであった。（庭の山の木）

(59) 夫が話し終わると、さり気なく、その種の告白を切り上げさせたのである。（プールサイド小景）

(60) 彼らは病人でも老人でもかまうことなく歩かせ、倒れればその場で切り殺し、欠損を埋めるために畑へかけだして百姓をひっぱってきた。（流亡記）

(61) 今度の新型爆弾には毒瓦斯または赤痢菌が入っていたものと院長は判断した。それで取敢えず内科の先生に伝染病予防の処置をとらせ、院長代理の小山先生に大急ぎで隔離病棟を建てるように云いつけた。（黒い雨）

次の「いきなり」は、使役主体から動作主体への働きかけのあり方を、動作主体側の受け止め方として特徴づけており、やはりV-(サ)セルへの修飾である。

(62) ｛山口は｝）飛行場にまで精神注入棒を持ち出し、いきなり全員を整列させて尻を殴りつける。（僕たちの戦争）

次の「強いて」「求めて」は前節でみたのと同じくまだ動詞の一語形かもしれないが副詞的に機能してV-(サ)セルへの修飾となっている。

(63) 女房は己の内にいる時のほうが機嫌が悪い。そこで内にいまいとすれば、強いて内にいさせようとする。そうして見れば、求めて己を内にいさせて、求めて自分の機嫌を悪くしている

のである。(雁)

(C) 使役主体が動作主体に働きかけている際の、使役主体によるいわば「働きかけ動作」の様子を特徴づけている副詞もV-(サ)セルへの修飾である。

(64) {看護師から患者の家族への発話}「喉頭結核がはじまれば食べられなくなるものねえ、今のうちにせっせと食べさせておくんだよ。食べ納めだよ。」(おとうと)

(65) 高貴の婦人は平気で体じゅうを人に洗わせて羞恥ということを知らぬというが、(春琴抄)

(66) 伯母さんはまた百人一首の歌をすっかりそらんじていて、床へ入ってから一流のもの寂しい節をつけて一晩に一首二首と根気よくおぼえさせた。(銀の匙)

(67) 彼は私に {尺八を} 教えて、左手を上にした持ち方からはじめ、頸当りへ顎を当てる具合や、歌口にあてがう唇のひらき方、幅の広い薄片のような風をそこへ送るコツを、念入りに習得させた。(金閣寺)

(68) 座敷に帰って、親子のものの遠慮して這入口に一塊になっているのを見て、末造は愛想好く席を進めさせて、待っていた女中に、料理の注文をした。(雁)

次の例の「手ずから」は「自分で」に近い意味だが、「かずが野口を自分で着換えさせた」の場合には「自分で」がVへの修飾ともV-(サ)セルへの修飾ともとりうるのに対して、「手ずから」はもっぱらV-(サ)セルへの修飾である。高木 (1997) のBの階層の意味特徴をもっているということだろう。

(69) 「さ、和服に着かえよう」野口が習慣的に手を叩きかけると、かづが制して、乱れ箱にすでに用意していた着物を出して、手ずか

ら着換えさせた。(宴のあと)

使役主体側が複数人で他者（動作主体）に働きかけることを特徴づける副詞もV-(サ)セルへの修飾になるだろう。

(70)「大人が{3人がかりで／よってたかって}太郎を馬に乗らせた」

以上みてきた諸例は人に働きかけてその動作を引きおこすことを表す使役文であった。次の例は物の変化の引きおこしを表す使役文だが、やはり、物に対して働きかける際の使役主体の様子や態度を特徴づけており、V-(サ)セルへの修飾である。

(71) 彼は、部屋の仕切りの帳を頭突きで何度もへこませた。(翔べ麒麟)

(72) ルートはいつでも手渡せるよう、黄色いリボンを飾った江夏の野球カードを、そっとポケットに忍ばせた。(博士の愛した数式)

3.2.2 原動詞（V）と使役動詞（V-(サ)セル）いずれへの修飾とも捉えられるもの

(A) 副詞があらわしている様子や程度や質が、使役主体から動作主体への使役動作についてのものとも、動作主体の動作についてのものとも考えられる場合があり、どちらへの修飾か決めきれない。

(73) はたからみれば、一見のんびりと、ときには少々荒っぽく遊ばせているようにみえて、一人ひとりの子をみつめ、(「待ち」の子育て)

(74) 家では人を出して、心あたりをくまなく尋ねさせたけれども、なんの手がかりも得られなかった。(路傍の石)

(75) 自分が新しい生活に入るというのは、その対手の女の生活をも変えることである。すぐにも家を借りさせよう。(くれない)

(B) 頻度や回数を表す副詞が使役文中に用いられているとき、それは、使役主体が動作主体に働きかけて動作を行わせるという使役動作そのものの頻度や回数である場合と、単に動作主体が動作を行う頻度や回数である場合とがある。

(76) 私たちはいつも飢えていた。鶴川は東京の生家にたのんで時々甘いものなどを送らせた。夜が更けてから私の枕許へやってきて一緒に喰べた。(金閣寺)

この例で、もし現実の事態が〈鶴川が生家に一度手紙を書いて「時々甘いものを送ってください」と頼んだ〉のだとすれば、「時々」は「送る (V)」への修飾である。一方、〈鶴川が生家に時々手紙を書いてそのつど「甘いものを送ってください」と頼んだ〉のだとすれば、「時々」は「送らせる (V-(サ)セル)」への修飾である。次の例も同様だろう。

(77) たとえば、教科書に出てくる字を教えようと何回も書かせれば、形は覚えるでしょう。(間違ってます、お母さん)

次のように、反復や繰り返しという面の強い副詞の場合は、そういった違いがあまり意識化されていないかもしれない。

(78) 「あ、これは、今しがた搾らせたばかりの牛乳です。どうぞ。これからも毎朝、下男に届けさせましょうか？」(メキシコからの手紙)

(79) 一家七人が一度に殺されたという新聞記事がでると、臆病だ

った父は、女中のほかに屈強な書生までやとい、木刀を持たせて、毎晩家の周囲をまわらせました。（指と耳で読む）

(C) 当該の使役文において、V への修飾とも V-(サ)セルへの修飾ともとれる場合のうち、どちらであるかによって、副詞の意味がやや異なってくる場合があるように思われる。たとえば、次の「ずいぶん」は、「ずいぶん貢ぐ」のようにV への修飾とみれば、この「ずいぶん」は単に数量的な意味（高木 1997 のAの階層の意味特徴）であるのに対して、「ずいぶん貢がせていた」のようにV-(サ)セル（ここではそのテイル形）への修飾とみれば、使役主体の貢がせ方についての話し手の評価的な意味合いがよみとれる（高木 1997 のCの階層の意味特徴）。

(80) 三好晃子の方は尾島産業の社長を初め、専務、部長、とくわえ込んで、あの会社の金をずいぶん貢がせていたんです」（女社長に乾杯！）

先にあげた(48)の例でも、「すっかり張る」ならば、単に「二階から階下まですべてを張る」という意味だが、「すっかり張らせる」だと、すべてが変わってすばらしくなった」という評価性がよみとれるのではないか。ほかに、(34)の「いっぱい」、(41)の「全部」、(74)の「くまなく」もそうかもしれない。

3.2.3 使役事態全体への修飾

V への修飾ではない最後の類として、V-(サ)セルを含む使役事態全体への修飾と思われるものについて考えてみる。

(A) 陳述副詞は文の対象的な内容についての話し手の主体的な捉え方を表現するものであり、使役文の中で使われる陳述副詞の場合にもその性質は同じである。いま陳述副詞についても「修飾」という語を使って説明するとすれば、文の表す使役事態全体への修飾だといえる。

(81) あの日たしかに部長は彼にその書類をコピーさせた。
(82) 先生はおそらく太郎にも荷物を運ばせただろう。

今回の調査では、陳述副詞らしい副詞の例が見いだせていないが、次のような例は陳述副詞に準ずるものといってよいだろう。いずれも高木（1997）のCの階層の意味特徴がうかがえる。

(83) まさか催眠術を使って心中させたわけでもあるまい。(点と線)
(84) 年越しの晩には、女髪結が遅く部屋部屋を廻った。お種も、めずらしく、豊世の後で髪を結わせた。姑の髷がいつになく大きいので、(家)

次の例の「いちいち」「ついまた」もこの文においてそれぞれ、〈私がセクレタリーをわずらわせて、葉書を出させる〉という事態、〈私がブローチなどお関さんに売らせて、そのお金を上原さんのアパートにとどけさせる〉という使役事態についてその起こり方を評価的に特徴づけており、陳述的な性質がうかがえる。

(85) 学生に通知したいことは、いちいちセクレタリーをわずらわせて、葉書を出させる必要があった。(アメリカと私)
(86) こんどこそ薬をやめると､顔をそむけたいくらいの哀切な誓いをするので、また嘘かもしれぬと思いながらも、ついまた、ブローチなどお関さんに売らせて、そのお金を上原さんのアパートにとどけさせるのだった。(斜陽)

(B) 発話時と使役事態の生起との時間的関係を話し手の立場から特徴づけて述べる次のような副詞がある。

(87) すでに、まず、もう、早くも、早く、ようやく、やっと // いつまでも、まだ、今も、ずっと // 　そろそろ、いつか、そのうち、等

(88) 「太郎は子供にすでにご飯を食べさせた。」「太郎は子供にいつまでもご飯を食べさせている。」「そろそろうちの子にも英語を習わせましょう。」

これらの副詞も使役事態全体への修飾といえそうである。次のような例にみられ、高木（1997）のいうCの階層の意味特徴を合わせもっているのではないか。

(89) 誰かを百閒の読者に引張りこもうとすれば、先ずこれを読ませるのが順序であるだろう。（庭の山の木）

(90) 「好彦は、明日、遠足なんですけど、ちょっと風邪気味のようですから、早く食事をさせて、やすませましたの」（白い巨塔）

(91) 結局、私の父は死んでしまい、そのあと十数年たってから、やっと私の兄が、父の志をついで、彼に嫁を貰わせた。（庭の山の木）

3.3 この節のまとめ

以上この節では、使役文（V-(サ)セルを述語とする文）における副詞がどんな要素と意味的な修飾関係にあるかについて考察した。修飾関係には主として、副詞がVのみを修飾している場合（「ゆっくり走らせる」）と、V-(サ)セルを修飾している場合（「無理やり走らせる」）および使役事態全体を修飾している場合（「たしかに走らせた」）があること、そしてそれは、副詞が動作主体や動作対象について特徴づけるものである場合にはVへの修飾になり、副詞が使役主体について特徴づけるものである場合にはV-(サ)セルへの修飾になり、副詞が陳述的な性質をもつものである場合には使役事態全体への修飾になるということがおおむね確認できた。

次に、V-(サ)セル以外の動詞の語形について、新川（1979）の挙例を使わせていただき、副詞による修飾のあり方を考えてみる。

4. 動詞の種々の語形への副詞の修飾

2.1 節で紹介した新川（1979）では、連語論の立場から、副詞と動詞とのくみあわせ（副詞と動詞からなる連語）におけるむすびつき方の様々について検討されている。各例文において、副詞と動詞に下線が付されているが、「動詞」には種々の語形がみられる。この節ではそれらについて、簡単にではあるが、副詞が「V」への修飾なのか「V の語形」への修飾なのかを考える。

4.1 ヴォイス性の語形

■《V-(サ)セル》

V-(サ)セルの形は、2.1 節にあげた 3 例（いずれも物の状態変化の引きおこし）以外には、「V-(サ)セラレル→V-(サ)レル（使役受身）」「V-(サ)セテモラウ」「V-(サ)セテクレル」が 1 例ずつのみである。いずれも人の意志動作の引きおこしである。（例文の[ ]と【 】については 2.1.節参照）

(92[328]) 朝は非常呼集というやつをおもしろ半分にたびたびやらされた。（黒い雨）【状況的；目的/原因】

(93[281]) これから、しょっちゅうあそびにこさせてもらいます。（放浪記）【量規定；頻度】

(94[260]) すこし僕に考えさせてくれたまえ。（春）【量規定；時間的な量】

まず、(92[328])は使役受身文であり、「おもしろ半分に」は使役主体（たとえば「上官」）の心的態度を特徴づけているので、「おもしろ半分に」と動詞が目的あるいは原因のむすびつきをつくっているとすれば、副詞と動詞とのくみあわせは〈おもしろ半分に ＋ やる〉でもなく〈おもしろ半分に ＋ やらされる〉でもない。これは、対応する使役表現（「上官が私に非常呼集をおもしろ半分にやらせる」）を想定して、〈おもしろ半分に ＋ やらせる〉だと考えられる。つまり、〈副詞+V-(サ)セル〉というくみあわせを認めてそれについてむすびつきの性質を考えていることになる。

次に、(93[281])と(94[260])をみると、下線が、前者はV-(サ)セテモラウ全体に、後者は V-(サ)セテにのみ付されている。(93)の「しょっちゅう」が頻度を表すというのは、語形として「くる」「こさせる」「こさせてもらう」のどれに対してなのだろう。また(94[260])の「すこし」が時間的な量を表すというのは「考える」か「考えさせる」のどちらなのだろう、「考えさせてくれる」への修飾という可能性はないのだろうか。あるいは、このように捉えるのではなく、意味的に〈しょっちゅう ＋ くる〉〈すこし ＋ 考える〉というむすびつきがなりたてば、語形が種々であっても、V への修飾と考えてよいということだろうか。

新川（同）に挙げられている用例のなかでV-(サ)セルの語形であるのは、2.1 節で紹介した 3 例（例 5[8]、6[20]、7[32]、いずれも物の変化の引きおこし）と上の 3 例（使役受身の例、V-(サ)セテモラウの例、V-(サ)セテクレルの例）のみである。それは、新川（同）で「副詞と動詞とのくみあわせ」というときの「動詞」として、基本的にはV-(サ)セルは考察の対象にしないということではないだろうか。

■《V-(ラ)レル》

受身の意の「V-(ラ)レル」を含む例は3 例あがっている[11)]。

---

11. これ以外に、尊敬の意のV-(ラ)レルといわゆる語彙化した「ひかれる」が 1 例ずつある。[122]の「みごとに」はV（おりていく）への修飾、[194]「つよく」は V-(サ)セル（ひかれる）への修飾だろう。
   ○ [122] 先生はオートバイでみごとに坂をおりていかれた。（黒い雨）【質規定；質=評価的な特徴づけ】
   ○ [194] ただ、沼田としては、雪子につよくひかれるほど、（青い山脈）【量規定；程度】

(95[96]) 青木の履歴はごくかんたんによまれた。(春)【質規定；行為に対する態度】

(96[225]) はいだした距離を考えてもかなりふきとばされていたようである。(黒い雨)【量規定；位置変化の度合】

(97[310]) むかしむかし、自分がこの家へうられてくる時、二親はいっそなぜ芸者にうってくれなかったのだろうと須賀は思う。(女坂)【状況的；時間的】

このうち、(95[96])の「かんたんに」は「よむ」への修飾、(97[225])は「ふきとばされている」への修飾のように思われる。(97[310])は、「むかしむかし」が状況成分なので「うられてくる」への修飾とみるべきだろうか。

■《V-テクレル》

V-テクレルである例でも、下線が V-テのみに付されているもの（下の(98[98])(99[285])）とV-テクレル全体に付されているもの（下の(100[286])～(102[213])）がある。質規定、方法規定、量規定の例があるがいずれもVへの修飾だろう。

(98[98]) {医者は} 主人の耳をてあらく診察してくださいました。(黒い雨)【質規定；行為に対する態度】

(99[285]) おじさん、今日はすこしたかくかってちょうだいね。(黒い雨)【方法規定】

(100[286]) タカはいつも普通の闇屋よりもずいぶんやすく商品をうってくれたという。(黒い雨)【方法規定】

(101[190]) でも、そのかわり、先生が私をいちばんかわいがってくれるんでなくっちゃいや。(青い山脈)【量規定；程度】

(102[213]) 赤飯に油揚げを、大工さんのお上さんは白粉くさい手にいっぱいこんなものをもってきてくれた。(放浪記)【量規定；数量】

しかしながら、作例だが次のようなものならばV-テクレルへの修飾となり、〈わざわざ＋届けてくれる〉が【目的のむすびつき】をつくっているといえるのではないか。

(103) 学校を休んだ時、友だちがわざわざ私の家へプリントを届けてくれた。

4.2 それ以外の種々の語形

V ではなく「V の語形」全体への修飾だと思われるものを中心に、気づかれることを簡単に述べる。

■《V-ナイ》　4 例ある。量規定のものと状況規定のものがあるがいずれもV-ナイへの修飾だと考えられる。動作を行わない状態の時間を特徴づけているからである。

(104[255]) ひさしくたばこもすわない。（放浪記）【量規定；時間的な量】

(105[250]) 白川は唖になったようにしばらく口がきけなかった。（女坂）【〃】

(106[267]) 与吉の枕元に三人はよっぴいてねむらなかった。(土)【〃】

(107[320]) かくのごとくにして彼らのあつまるところには常に笑声をたたないのである。（土）【状況的；時間的】

■《V-テイル》　V への修飾といえるものも多いが（「ゆっくりまわっている」[19]、「かすかにないている」[44]、「たのしく遊んでいる」[69]、「おびただしくとんでいる」[197]ほか）、V-テイル全体への修飾とみるべきものも少なくない（下線はすべて V-テイルに付されている）。まず、存在の様子を表すものにある。次の(108[138])の「はなればなれに」は変化の結果の継続としての存在の様子を特徴づけており、V-テイルへの修飾である。

(108[138]) 畑のとおくにはなればなれにちらばっている百姓らは、
(土)【質規定；存在のようす】

また、(109[296])～(111[300]) はいずれも【状況的；空間的】とされているものだが、(109[296])の【質規定；存在のようす】に近く、やはりV-テイルへの修飾である。

(109[296]) 庭の踏石をかこんで、松葉ボタンが一面にさいていた。
(青い山脈)
(110[297]) 風にあおられて、川向う一面に灼熱色の火焔が天にまいあがっていた。(黒い雨)
(111[300]) 赤いリンゴが路面いっぱいにちらばっているのがみえた。
(青い山脈)

次に、主体のなんらかの変化の結果としての状態が続いているということを時間的に特徴づけている場合も、変化の結果の継続を表すV-テイルへの修飾であろう。

(112[118]) その夜、空襲警報が一度あったことをかすかにおぼえている。(黒い雨)【質規定；現象・知覚の明瞭さ】[12)]
(113[313]) ぼくはもうとうから姉様をすてていたんだもの。(其面影)
【状況的；時間的】
(114[262]) 私もずっと似島や江田島の方に顔をむけていた。(黒い雨)
【量規定；時間的な量】

---

12. この「かすかに」は、新川 (1997) も「おぼえている」とのくみあわせだとしている。

■《V-テアル》　次のように、動作によって対象の位置に変化が生じた状態が表されているときには、上でみた変化の結果の継続を表すV-テイルに近く、V-テアルへの修飾と考えられる。

(115[307]) 二三株比較的おおきな榛の木のたっているところにわずか一枚板の橋がななめにかけてある。(黒い雨)【状況的；空間的】

■《V-テイク・V-テクル》　V-テイク形・V-テクル形が具体的な移動を表していて、移動の原因や目的、移動中の人の様子、移動の軌跡を特徴づける副詞も語形全体への修飾といえる。

(116[323]) 火がもう近くまでせまっていたので、奥さんはやむなくにげていかれたそうだ。(黒い雨)【状況的；原因】
(117[331]) 池本屋のおばはんは、すぐいけばいいのに、わざわざ堤の下によってきた。(黒い雨)【状況的；目的】
(118[61]) 神田の某私立大学の赤レンガの門を、うつむきかげんにこつこつとはいっていくあの人で、(其面影)【質規定；面のむき】
(119[83]) 曹長がその電車の残骸の方へあるいていったので、ぼくもおそるおそるちかづいていった。(黒い雨)【質規定；相手に対する態度】
(120[56]) 私は日在浜を一直線にあるいていった。(放浪記)【質規定；軌跡】
(121[55]) 二番目の若者は、自分の方にむかってまっすぐにおよいでくる新子をみて、(青い山脈)【質規定；軌跡】

また、変化の進行の様子を述べる副詞も語形全体への修飾だろう。
(122[132]) しだいに土がやせていく。(土)【質規定；変化の進行のようす】

(123[134]) まきはだんだんふえていくばかりでいる。(土)【〃】

■《V-ダス》　次の「ゆるゆる」を新川（同：176）は、動きをはやさの側面から特徴づけるとしているが、「あるきだす」までの時間（開始局面）を特徴づけているともみることができそうであり、そうだとするとV-ダスへの修飾である。

(124[18]) この親切なお婆さんは、ゆるゆるあるきだしながら、(放浪記)【質規定；はやさ】

ほかに、「ようやく動きだした」「ついに雨がふりだした」「おもむろに話しだした」なども同様である。これらは「時間なのでそろそろ出かけよう」「やおら立ち上がった」のようなくみあわせに近く、やや陳述的になるだろうか。

4.3 この節のまとめ

この4節では、新川（1979）にあげられている動詞の種々の語形について、副詞とそれらとのくみあわせがあらわす「むすびつき」のあり方を考えてきた。諸例の中には、副詞とVとのむすびつきというよりも、副詞と「Vの語形」とのむすびつきとみなしたほうがよさそうなものがあることを具体的に述べてみた。副詞と「Vの語形」とのくみあわせを認めうるとすると、連語という単位を考える時、それらをどう位置づければよいのか検討が必要になりそうである。

5. おわりに

本稿の3節で検討してきたことは、連語（論）の観点からどのように位置づけられるだろうか。最後にそのことを考えてみる。

まず、副詞が使役事態全体への修飾であるとしたもの（「たしかに監督はけがをした選手を走らせた。」）の場合には、陳述的な副詞は動詞とくみあわさって従属的なむすびつきをつくるわけではないので、当然のことながら、それらの副詞と動詞からなる連語をみとめることはできない。新川（1979）でも陳述副詞はとりあげられていない。

次に、ほかの2つの場合を考えてみる。副詞がVへの修飾である場合（「ゆっくり走らせる」）には、〈ゆっくり ＋ 走る〉という連語があって、それが「監督が選手をゆっくり走らせた。」という文の中にはいることによって、副詞と動詞との〔かざり－かざられ〕という従属的な関係が、文中での〔連用修飾語－述語〕という構文機能的な関係になっていると考えてよさそうである。奥田（1976[1985：68]）で、「連語の構成要素がそれぞれ文の部分へと昇格していく」「連語の構成要素のあいだの関係は、文の部分のあいだの関係のなかにうつしこまれる」とあるのはこのようなことをさしているのだろう。それに対して、副詞がV‐(サ)セルへの修飾になっているとしたものはどうだろう[13]。たとえば「強制的に走らせる」は、＊〈強制的に ＋ 走る〉という連語があって「連語の構成要素がそれぞれ文の部分へと昇格していく」というわけではない。しかし「監督が選手を強制的に走らせた。」という文の中で「強制的に」と「走らせた」とが〔連用修飾語－述語〕という構文機能的な関係をなしているのはたしかである。とすると連語と文との関係をどのように考えればよいだろう。このような場合に、V‐(サ)セルをかざられとする〈強制的に ＋ 走らせる〉という連語を認める可能性があるのではないだろうか。

本稿でみてきたように、副詞のうちに、当該の文においてV‐(サ)セルを

---

13. 副詞がV‐(サ)セルを修飾している場合でも、物の変化の引きおこしを表しているもの（2.3節で紹介した新川1979の3例や3.2.1節であげた「仕切りの帳を頭突きでへこませる」等）は、V‐(サ)セルの分析性が低いとして、副詞とV‐(サ)セルからなる連語とみなしてよいだろう。
　また、「知らせる」「聞かせる」のように「V+‐(サ)セル」という形態的な分析性が希薄になり独立の他動詞とみられるものと副詞とのくみあわせ（「おもしろおかしく聞かせる」「はっきり知らせる」）も連語とみてよいだろう。

はじめ動詞の種々の語形への修飾とみられるものがあるとすれば、「副詞と動詞とのくみあわせ」として、Vだけでなく V の種々の語形と副詞とのくみあわせ《副詞＋V-語形》(〈副詞＋V-(サ)セル〉〈副詞＋V-ナイ〉〈副詞＋V-テイル〉等）をみとめる可能性があるように思われる。早津（2020）では、「を格の名詞と動詞からなるくみあわせ」として〈容疑者を泳がせる〉〈カバンに包丁を忍ばせる〉のようなV-(サ)セルをかざられ動詞とする連語の存在をめぐって考えた。ただしこれらは、「泳がせる」「忍ばせる」などが独自の語彙的な意味およびそれに支えられた文法的（構文論的・形態論的）な性質をもつV-(サ)セルである場合なので、〈強制的に走らせる〉はそれとは異なっている。これらのこともあわせ、「連語」という単位について、そして、文法論の分野として構文論のなかに文論とべつに連語論をもうける意義について、さらに考えていきたい。

参考文献

石神照雄（1977）「連用修飾の構造—動詞文における属性の立体的表現—」『国語学研究』16、pp.54-64、東北大学文学部「国語学研究」刊行会

奥田靖雄（1976）「言語の単位としての連語」『教育国語』45、むぎ書房（奥田靖雄 1985『ことばの研究・序説』pp.67-84、むぎ書房、などに再録）

北原保雄（1975）「修飾成分の種類」『国語学』103、pp.18-34、国語学会

工藤浩（1996）「「どうしても」考」鈴木泰・角田太作（編）『日本語文法の諸問題—高橋太郎先生古稀記念論文集—』pp.163-192、ひつじ書房

小矢野哲夫（1982）「副詞の意味記述について—方法と実際—」『日本語・日本文化』11、pp.39-63、大阪外国語大学研究留学生別科

佐藤里美（1986）「使役構造の文—人間の人間にたいするはたらきかけを表現するばあい—」言語学研究会（編）『ことばの科学 1』pp.89-179、むぎ書房

鈴木重幸・鈴木康之（1983）「編集にあたって」言語学研究会（編）（1983）『日本語文法・連語論（資料編）』pp.3-19、むぎ書房

高木一彦（1994）「「いい！」の意味（2）—独立語文・独立語のばあい—」『大東文

化大学紀要〈人文科学〉』32、pp.205-222、大東文化大学

高木一彦（1997）「副詞と陳述詞―その意味構造について―」『大東文化大学紀要〈人文科学〉』35、pp.125-143、大東文化大学

新川忠（1979）「「副詞と動詞とのくみあわせ」試論」言語学研究会（編）『言語の研究』pp.173-202、むぎ書房

早津恵美子（2010）「連用修飾語の解体―再構築にむけて―」『国文学 解釈と鑑賞』74-7（特集〈文の成分〉から文をとらえる―文の分析と理解のために―）、pp.60-68 至文堂

早津恵美子（2020）「名詞と使役動詞（V-(サ)セル）からなる連語」『東アジア国際言語研究』1、pp.46-65、東アジア国際言語学会（旧称「国際連語論学会」）

宮島達夫（1983）「情態副詞と陳述」渡辺実（編）『副用語の研究』pp.89-116、明治書院

応答発話における副詞「たしかに」の機能について

The function of the Adverb *“Tashikani”* in Response to Utterance

李　丹
LI Dan

提要

很多词典对形容动词「たしか」的语义单独立项解释过，却未见单独立项解释副词「たしかに」。词典解释的条目可归纳为＜（A）形容动词「たしか」（間違いのないさま）、(B）副词「たしか」（記憶にあやまりがなければ）、(C）副词「たしかに」（相手/人の言うとおり·下に続く部分をいったん認めることば）＞三个义项。其中，本文研究的对象为＜（C）副词「たしかに」＞，目前仅有《三省堂国语词典第七版》收录。据此可推断＜（C）副词「たしかに」＞的独立语义是由＜（A）形容动词「たしか」＞的连用形经历了某种规约化而形成的。已有研究中虽已指出＜（A）形容动词「たしか」＞的连用形副词「たしかに」具有“确认”的功能，＜（C）副词「たしかに」＞具有“赞同”/“让步”的功能，但对后者的产生机制还未曾做出合理性的解释。本文从“配虑表达”视角出发，对应答话语中的副词「たしかに」的语义功能演变机制进行了考察。结果显示，作为“配虑表达”的副词「たしかに」在特定的语境中，“确认”意义弱化，最终形成了表达“赞同”/“让步”的积极或消极的语用功能，传递“配虑”情感。其所经历的动态的规约化过程呈现了梯次等级。在此过程中，出现了叹词化。

キーワード： 応答発話　発話機能　配慮表現　慣習化　感動詞化

目次

1.　はじめに
2.　先行研究
3.　本稿の立場
4.　考察
5.　おわりに

1.　はじめに

多くの辞書において、形容動詞「たしか」の項の記載はあるが、副詞「たしかに」は独立した項として記載されていない。その場合、「たしかに」は形容動詞「たしか」の連用形として含まれていることになる。これとは別に、副詞「たしか」を項として記載するものも少なくないが、これは形容動詞「たしか」とは意味も用法も異なる別のものと考えられる。いっぽう副詞「たしかに」を記載する辞書もわずかながら見られる。これはもともと形容動詞「たしか」の連用形であったものが何らかの慣習化を経て、自立した意味用法を有するに至ったと判断されたものと考えられる。

以上を整理すると、辞書の項目としての記載は＜（A）形容動詞「たしか」、（B）副詞「たしか」、（C）副詞「たしかに」＞の三種あることになる。

主要な辞典では以下のように記載されており、＜（C）副詞「たしかに」＞を項として記載しているのは今のところ『三省堂国語辞典第七版』のみである。本稿では＜（C）副詞「たしかに」＞が＜（A）形容動詞「たしか」＞から派生して独自の用法を確立した過程を中心に考察する。＜（B）副詞「たしか」＞については考察対象外とする。以下、各語釈の⇒＜＞は筆者による。

『明鏡国語辞典第二版』

たしか【確か（慥か）】［形動］①明白で、間違いのないさま。確実である

さま。「〜に叫ぶ声を聞いた」②しっかりしていて、信用･信頼がおけるさま。「腕は〜だ」　⇒＜（A）形容動詞「たしか」＞

[副]断言はできないが、たぶんそうだろうという気持を表す。「〜日曜日も営業しているはずだ」　⇒＜（B）副詞「たしか」＞

『三省堂国語辞典第七版』

[確か･×慥か]（形動ダ）①しっかりして動かないようす。確実。「—な事実」②信用できるようす。「—な人」③正常にはたらくようす。「気は—だ」④まちがいないようす。「—に引き受けた」　⇒＜（A）形容動詞「たしか」＞

[たしか]（副）記憶（キオク）にあやまりがなければ。〔少し自信がない感じ〕「—、わたしたはずだ」　⇒＜（B）副詞「たしか」＞

[確かに]（副）①〈相手/人の言うとおり。〉「—それがいいですね」②下に続く部分をいったん認めることば。〔そのあとに逆接の内容をのべる。〕「—欠点はある。しかし…」　⇒＜（C）副詞「たしかに」＞

『広辞苑第七版』

たしか【確か･慥か】[名]①しっかりして動かないこと。②信用できること。安心なこと。③間違いのないこと。確実なこと。④あぶなくないこと。安全なこと。⑤はっきりしていること。明瞭なこと。 ⇒＜（A）形容動詞「たしか」＞

[副]《慥》（自分の記憶によれば）まず間違いなく。 ⇒＜（B）副詞「たしか」＞

副詞「たしかに」[1] について、山岡･牧原･小野（2010：198-199）は、副詞「たしかに」を「配慮表現」として取り上げ、もともと「明らかで間違いのないさま」を表すものであるが、《賛同》/《反論》の発話機能を持つ文において使用すると、相手の意見に対する賛同や共感を表すと指摘している。また、山岡（2018：5）は、副詞「たしかに」を「賛同表現」（配慮機能分類の下位区分）に分類している。

「配慮表現」については、「対人的コミュニケーションにおいて、相手との人間関係をなるべく良好に保つことに配慮して用いられることが、一定程度以上に慣習化された言語表現」と定義されている（山岡 2015 : 318）。「配慮表現」の特徴について、山岡（2016）は「言葉のポライトネスが慣習化したもの＝配慮表現」と主張し、慣習化の結果、辞書的な意味が希薄となり、最終的には原義を喪失するということであるとしている。慣習化が進めば進むほど動機づけは薄まる。慣習化の度合いには勾配性があると指摘している。

以上の論述より、実質的意味を持つ副詞「たしかに」は何らかの慣習化を経て、原義が希薄になり、極端な場合には原義を喪失し、対人機能を有するに至ったと判断されたものと考えられる。具体的に、どのように慣習化され、対人配慮機能を持つようになるのか、管見の限り、慣習化のプロセスはまだ不明確であり、研究の余地がある。本稿では、先行研究に基づいて分析し、応答発話[2)]における副詞「たしかに」の慣習化のプロセスを明らかにすることを目的とする。

2.　先行研究

2.1　先行研究における用法の分類

副詞「たしかに」の用法について、文レベルでの研究は、渡辺（1971）の「誘導の職能」、工藤（1978）の「注釈の副詞（叙述内容に対する確認ないし同意）」、澤田（1978）の「文副詞類（認識的）」、中右（1980）の「命題外副詞（真偽判断の副詞）」、小矢野（1983 : 228）の「批評の誘導形」、寺村（1991）の「後続の文への評価、注釈」がある。

以上から、文レベルでの研究は「たしかに」を評価、注釈の機能を持つ副詞として位置付けているといえる。主に「確認」、「同意」、「譲歩」という三つの用法を分類できるが、「確認」という用法は命題の真偽についての話者の判断を表すのであり、「同意」、「譲歩」の用法は話者の発話意図に関わる。つまり、副詞「たしかに」の用法を発話レベルで考察するべきであると考えられる。[3)]

副詞「たしかに」の用法について、発話レベルでの研究は、森本（1994）、安達（1997）、大野（1997）、原田（2010）、森山（2015）、山岡（2018）、蓮沼（2018）などがある。本稿は、主に「確認」、「確認」·「同意」、「同意」/「譲歩」という用法の分類を整理している。

2.1.1　「確認」の用法

＜（A）形容動詞「たしか」の連用形として含まれている「たしかに」＞の用法について、森本（1994）と安達（1997）は「事実確認」の機能を指摘している。以下、下線は本稿の筆者による。

（1）P：六月六日は何曜日ですか。
　　Q：a 金曜日です。
　　　b#たしかに金曜日です。　　（森本 1994：109）

森本（1994）では、Q の答え（b）はその場で続いてカレンダーをチェックする作業があれば、適切となり、「たしかに」の基本的機能は「事実確認」であると述べている。

（2）A：君、本当に出席したの？先週の金曜日だよ。
　　B：ちょっと待ってよ。うん、たしかに出席した、間違いないよ。
（安達 1997：7）

安達（1997：7）では、「金曜日の授業に出席した」という事実を自分の記憶に突き合わせて確認していると考えられる。森本（1994：109）にしたがって、「事実確認」の機能であると述べている。

（1）と（2）の先行発話は情報提供要求文であるので、聞き手は情報を提供するべきである。そこで、聞き手の発話は質問に対する回答である。

副詞「たしかに」は聞き手の確認の作業がなければ自然な回答ではない。現場確認や記憶との照合を行い、事実とうまく合ったら、「たしかに」が使われる。この場面で、＜（A）形容動詞「たしか」＞の連用形である＜副詞「たしかに」＞は「間違いのないさま。確実であるさま」の原義を持つのである。

大野（1997）は「たしかに」をモダリティ副詞として考察し、「確認要求」、「程度の高い確信」、「程度の高い確信+同意」、「同意」、「譲歩」という用法を示している。「程度の高い確信」の用法について、次の例文(3)、(4)、（5）における「たしかに」はいずれも「間違いない」「たしかである」といった語彙的意味が強く現れていると指摘している。

(3)「はい、婚姻届ですね。はい、けっこうです。たしかに、受理しました」

(4)「あら、じいたんと言いましたわよ」
「ほんとうかな」
「確かに、じいたんといいました」

(5)「いや、君の脳はわるい。たしかにわるい。」　（大野 1997 : 156）

以上の例文における「たしかに」の話者は自分の判断を確認しているので、相手の発話に左右されないと考えられる。

2.1.2　「確認」·「同意」の用法

安達（1997 : 7）では、「たしかに」には自分の記憶と突き合わせ確認するというより、相手の言った内容や何らかの判断をたしかなものとして受け入れるという話し手の態度を表しているとして、これを「判断受容」の機能と述べている。

(6) A：君、先週の金曜日の授業、さぼっただろう？
B：たしかにさぼったけど、それがどうかしたの？
(安達 1997：7)

安達は (6) を「事実確認」から「判断受容」に移行する過渡的な用例として挙げている。この場合、先行発話の文末に「確認要求」の「だろう」が用いられていることから、A がこの命題に (B が先週の金曜日の授業をさぼったこと) の確かさについてある程度の「傾き」を持ったうえで、B に命題の真偽の確認を要求していることがわかる。A が「傾き」を有している分だけ先行発話としての情報要求の機能が弱まり、共有知識の活性化と認識の同一化の要求が強まる。その結果、B の「たしかに」には、＜(A) 形容動詞「たしか」＞の「事実確認」の機能と共存する形で、「判断受容」の機能をも同時に帯びることになる。

大野 (1997) は次の例文 (7) の「程度の高い確信+同意」の用法について、「たしかに」を含む文の前の相手の発話は念押し文であり、話し手に確認要求をしていると考えている。「たしかに」は、確認要求の発話に対して「たしかだ」と確信を持ち、相手の判断に同意するというものである。「たしかに」の語彙的意味は、「程度の高い確信」が同様に残っているが、「同意」の意味が加わっている。

(7)「福田に帰ると言ってたんですね？」
「ええ、たしかにそう言ったよ」　(大野 1997：157)

例文 (7) の「たしかに」は例文 (6) と同じような用法を持っていると考えられる。

また、森山 (2015) は副詞「確かに」は「強化類」の新情報遭遇応答との関連性を指摘している。次のような例文 (8) を取り上げている。

(8)「このチーズ、腐っているよ。」
「(確かめてみて) あ、そうだね。」/「確かに腐っているね。」
(森山 2015：71)

森山は「そうだね」は先行する発話内容に対して、新たな情報を導入しつつ、自分なりに現実と照合確認し、そのうえで同意を表すものといえると述べている。さらに、「確かに」という副詞も、同様に自分でもそう思っていること、事実を確信したことを表すが、終助詞「ね」と共起すると指摘している。そこで、この場面での「確かに」は「事実確認」·「同意」の用法に属すると判断できる。

以上の例文 (6)、(7)、(8) における応答者のもとの想定が強化され、認知状態は先行発話に改変されるのである。

2.1.3　「同意」/「譲歩」の用法

大野 (1997) は次の例文 (9) における副詞「確かに」の用法について、相手の判断をきいて同意することを表すと述べている。「間違いない」、「たしかである」という語彙的意味が薄れていると指摘している。

(9)「みんなでかいな。そんなのは真似しようとしても、むりだ」
「確かにむりだと思います。」　(大野 1997 : 157)

次の例文 (10) の「たしかに」は山岡他 (2010) で副詞「たしかに」は相手の意見に対する賛同や共感を表すと指摘されている。[4)]

(10)「我が社も方針転換すべきです」
「たしかに君の言うとおりだ」　(山岡他 2010:198－199)

また、蓮沼 (2018) は次の例文 (11) を取り上げ、先行発話は「認識表明」である場合、応答表現「たしかに」が聞き手の認識表明を受け、「自分も同意見である」ことを述べる「判断受容」の用法を持つと指摘している。

（11）

F004　：そ、そ。でも値段的に安いからさ、（うーん）だからインターネットをつなげ、が　なきゃいけないっていう状況にある人だったら、（うん）ブロードバンドすごいいいと思った。うん。

F005　：確かに、（うん）うん、安いよねー。

F004　：そう、安いしー、つなぎっぱなし、でしょう？でもって、うん、 電話もそのままー、使えるしー。うん。

（蓮沼 2018：13－14）

以上の例文（9）、（10）、（11）の「たしかに」はいずれも相手の意見に同意する機能を持つものである。

次の例文（12）について、安達は「判断受容」のより典型的な例であると指摘している。

（12）大原「焼き鮎のダシってカブによく合うんだね！」

山岡「確かによく合います。だが･･･ただそれだけです」

（安達 1997：7）

（12）について、安達（1997）では、「判断受容」の「たしかに」の実際の使用例を見ると、相手の主張の部分、あるいは前提となっていることがらは認めるが、その主張そのものは認めないという話し手の態度を表明するといった文脈が非常に多い。後続文に逆接系の接続語が使われ、反対意見や異議申し立ての文が続き、聞き手にある程度の予測を与え、円滑な談話を成り立たせることができると指摘している。（12）の大原の主張内容が味覚という主観的なものであり、先行発話の文末に「ね」が現れているので、大原は山岡に意見の一致を求めているのである。山岡は相手の意見を参照しながら、自分の既有知識と照合し、完全には一致していなくても、一応の同意を示している。この場面で使われた副詞「たしかに」は「事実確認」の機能はなく、相手の意見や主張を受け入れるという典型的な「判断受容」の用法である。

さらに、大野（1997）は次の例文（13）における副詞「たしかに」の用法について、相手の判断を理解するうえで、自分の判断を表明することや相手の判断に反していないことを予告するという譲歩の用法であると指摘している。

(13)「トイレの窓は、開くんじゃありませんか？（略）」
「たしかに、トイレの小窓は、ほんの僅か開きますが、あの麻袋は、とうてい入りませんよ」　　　　（大野 1997：158）

山岡（2018：9）も同じなことを指摘し、相手の《主張》に《反論》する前に、そのクッションとして、いったん《賛同》して見せる発話に「たしかに」と「かもしれない」が用いられていると述べている。さらに、「たしかに」が、原義の「確かさ」を全く有さず賛同表現に特化されて、配慮表現の下位区分としての「賛同表現」機能と主張している。

(14)「あの人は信用できないわ」
「たしかにあの人は嘘をついているかもしれない。ただ、もう少し信じてみたいの」　　　　（山岡 2018：9）

以上の例文の（12）～（14）における「たしかに」は同じ機能を持つものである。発話者の意見や主張はほぼ客観的な事実ではなく、根拠もない主観表現や推測に過ぎないうえに、不一致であったとしても、応答者は相手との人間関係を維持するため、もとの想定を変えて、相手に賛同をみせている。この場合で使われる「たしかに」は対人配慮機能を果たされている。したがって、典型的な「判断受容」や「同意」や「賛同表現」は同じ言語現象に着目したものであることは間違いない。

2.2　副詞「たしかに」の用法間のつながりと感動詞化[5)]の現象

先行研究は、副詞「たしかに」の各用法間のつながりを示している。また、大野（1997）は感動詞化した「たしかに」は「程度の高い確信」と「同意」の用法から派生した、自己完結的なものであると述べている。

原田（2010）は会話分析の手法により、言語形式「たしかに」の用法変化を考察している。原田は発話のパターンを「非独立用法」から「独立用法」へ変わる原因は語用論的強化とコミュニケーションの効率化であり、ターン冒頭部で発話される言語形式「たしかに」は、「判断受容」などの機能を担う度合いが高くなると主張している。

蓮沼（2018）は副詞の「応答用法」の認定基準を形式上に、「話者交代のある談話で、前の話者の発話を受け、次の話者がそれに対する「応答」ないしは何らかの「反応」を示す場合の、ターンの冒頭で用いられた副詞「もちろん」「たしかに」「なるほど」の用法を、便宜的に「応答用法」と呼んでおきたい。なお、これらの語の前に、「ああ」「うん」などの感動詞、応答詞が用いられた場合や、「よ」「ね」などの終助詞が続く場合も観察対象に含める」と指摘しており、副詞の応答用法の「基本型」、「倒置型」、「独立型」に分けている。

以上考察した各用法間のつながりは山岡他（2010）の「配慮表現」としての副詞「たしかに」の意味機能の変化を反映していると同時に、感動詞化という統語的特徴の変化も示している。

2.3　先行研究の問題点

先行研究における副詞「たしかに」の用法は大きく「確認」、「確認」·「同意」、「同意」／「譲歩」という 3 種類に分類できる。各用法間のつながりを示唆しているが、慣習化のプロセスについては語用論的視点から詳しく考察されてこなかった。また、副詞「たしかに」の感動詞化の原因を全面的に解明できていない。つまり、副詞「たしかに」の対人配慮機能は《賛同》や《反論》の発話機能で使用されており、感動詞化していく傾向が見られるが、配慮のメカニズムは解明されていないのだ。

3.　本稿の立場

本稿は、配慮表現の観点から、語用論とコミュニケーション理論を活用し、副詞「たしかに」の対人配慮機能の産出のプロセスを解釈することを目的とする。日常生活を反映し、会話参与者の心理や社会の関係が重視される代表的な用例を抽出し、（発話状況、応答者の主体的な反応、先行発話と応答発話の発話機能、フェイス脅かし行為（Face-threatening act：以下、FTA と呼ぶ）となる文脈における配慮の動機づけ及び表現の選択、応答発話のパターンの伝達効果）をめぐる質的分析を中心に分析する。

先行研究における副詞「たしかに」の用法は①「確認」、②「確認」·「同意」、③「同意」/「譲歩」に分ける。本研究は、①、②、③の用法をそれぞれ副詞「たしかに」の慣習化の第一段階、第二段階、第三段階と呼ぶ。配慮機能の産出過程を分析する際に、第二段階と第三段階に関わる。

4.　考察

4.1　慣習化の第二段階（「確認」·「同意」）

（15）「福田に帰ると言ってたんですね？」

「ええ、たしかにそう言ったよ」　　　（大野 1997：157 再掲）

（16）「このチーズ、腐っているよ。」

「確かに腐っているね。」　　　　　　（森山 2015 : 71 再掲）

〔発話機能〕（15）相手の《賛同要求》に対する《賛同》[6)]

（16）相手の《主張》に対する《賛同》

〔配慮〕相手に対する賛同や共感を強調することによって、相手と自分のポジティブフェイスに配慮している。強い主観性を控えている。

〔具体的な分析〕

①発話状況

（15）の発話者は確認要求をしていると見えるが、自身の判断はほぼ間違いなく確信を持っている。(16) の発話者は判断がすでに形成され、確認要求をしていない。いずれも相手の賛同を期待している。

②主体的な反応[7] とポライトネスの連動

応答者は新情報を受けたら、自分の記憶や現場確認との照合を行い、想定は相手の判断と一致するので、「間違いない、たしかである」というプラス評価的反応をした。応答者は自分の判断だけを述べ、相手に賛同する態度を表明しないと、相手と自分のポジティブフェイスを脅かすFTA が生じる可能性があると判断し、人間関係を良好に保つために、ポジティブポライトネスストラテジーをとるべきであるという動機が付けられた。[8]

③配慮表現の選択

応答者は《賛同》の意図を表す言語表現を選択する際に、配慮表現の原理[9] の「一致の原則」、「共感の原則」に沿って、「たしかに」の本来の意味機能（命題に対する高確信）が顕在化され、ポジティブポライトネス機能が付与される。しかし、「程度の高い確信」を表す「たしかに」は強い主観性を持ち、相手に情報の独占や権威的な印象を与えがちである。応答者は発話者との人間関係に傷がつくことへの危惧も憂慮している。そこで、応答者は「たしかに」の「確実性」を利用し、情報の確実性や同意、共感の気持ちを表明すると同時に、確言的断定をやわらげなければならない。そうすることで、共同主観的配慮も伝達されるのである。

先行発話はいずれも事実のため、「たしかに」は本来の「確かさ」の意味が残っているが、「同意」の意味が加わっているので、「賛同表現」として働いている。

④応答発話のパターンの伝達効果

以上の例文において、「たしかに」は肯定の気持ちを表す感動詞である「ええ」、共同注意や軽い感動を表す終助詞である「よ」や「ね」と共起している応答パターンが見られる。先行発話の「確かさ」を認めるより、賛同や共感の気持ちを見せていると言えるのではないだろうか。文頭に立つ「たしかに」の副詞としての修飾機能が希薄になり、応答者の積極的な姿勢により、発話者の期待値は満たされ、「快」の気持ちになると考えられる。

4.2　慣習化の第三段階（「同意」/「譲歩」）

（17）場所：喫茶店、参加者の関係：アルバイトの友人

F045：　岡田君はかっこいいよね。

F160：　あー、じゃ、目がおっきい人好きなんだ。

F160：　（うん）ああいう、ぱっちりした。

F045：　うん。

F045：　濃い顔。

F045：　沖縄系とか大好き。

F160：　ほんとー。

F160：　私わかんないなー。

F160：　あんまり、あんまり顔は気にしないっていっても、たぶん気にしてるけど。

F160：　あの、ただこういう人がいいなって想像するときに顔だけ浮かばないの、私。

F045：　そうなの？

F160：　全然。

F045：　まあね、確かにそうかもね。（15 行目）

F045：　（うん）私もどういう人が好きかって言われてもよくわかんないんだよね。

F160：　うーん。

F160：　ねえ。

F160：　ただ何か、肌、肌がすごくぶつぶつの人って、ぶつぶつっていうか、ニキビとかすごく人いるでしょう。

F160：　その人がだめなの。

F045：　うん、見た目じゃん。

F045：　＜笑い＞

F160：　それはだめなの、本当に。

F045：　確かにねー、何か、汚い感じのする人ってやだよね。(26行目)

F160：　うーん。　—『名大会話コーパス』data067

〔発話機能〕相手の《主張》に対する《賛同》

〔配慮〕相手に対する賛同や共感を強調することによって、相手と自分のポジティブフェイスに配慮している。強い主観性を控えている。

〔具体的な分析〕[10)]

第二段階とは異なり、(17) の15行目と26行目の先行発話はいずれも発話者の不確実な推測である。応答者のややプラス評価的反応により、ポジティブポライトという動機が付けられた。配慮表現の原理の「一致の原則」と「共感の原則」に沿って、「たしかに」の本来の意味機能（命題に対する高確信）が顕在化され、ポジティブポライトネス機能が付与される。しかし、先行発話の不確実で主観的な推測により、応答者は弱い確信度で賛同する気持ちが生じる。「程度の高い確信」と「不確か」が矛盾するため、ポライトネスを損なう可能性がある。ここでの「確かに」は客観性を示すため、副詞として持つ強い主観性が抑制され、共同主観の配慮の気持ちが言語化され、原義を喪失し、「同意」の機能のみに特化されている。

応答者の主観的な断定回避を示すため、15行目の「確かに」は不確実を意味するモダリティ要素「かも」と共起するパターンが見られる。また、独立性や場面性、主体性を表している感動詞の特徴を持つ、26行目の「確かに」は、「ね」と共起する応答パターンもみられた。「確かに」は実質的な意味はない。配慮の気持ちだけを伝えている。

(18)

憲太郎「……」

純子「今度のことは、PTAでも徹底的に追及させて頂きますから」

みのり「本当に申し訳ございません。憲太郎には私からよく言って聞かせますので」

純子「失礼ですけど、心もとないんです。本当のお母さまが相手じゃないと、子供に対する責任をキチンと取って頂けない気がして」
みのり「！お言葉ですが、確かに憲太郎とは血が繋がっておりません。ですが、あの子は亡くなった夫の息子です。ですから、憲太郎は、私の息子です」 ―『グッドモーニング』

〔発話機能〕相手の《非難》に対する《反論》

〔配慮〕《反論》の前触れのクッションとして、双方のポジティブフェイスとネガティブフェイスに配慮している。共同主観性を誘導する。

〔具体的な分析〕

(18) では、純子はみのりの無責任を責めているが、みのりは反論している。みのりは純子に提供された新情報に対してマイナス評価的反応をし、自分のネガティブフェイスを守るため、自己保全の意図も出ている。一方、相手の主張を受け入れないと、《反論》により生じた FTA は相手のポジティブフェイスとネガティブフェイスを脅かす可能性があり、ポジティブ·ネガティブポライトネスストラテジーをとるべきであるという動機が付けられた。

みのりは《賛同》をみせかける意図を表す言語表現を選択する際に、配慮表現の原理の「是認の原則」、「一致の原則」、「共感の原則」に沿って、相手の共同認識を喚起できる「確かに」の本来の意味機能が顕在化され、「確かに」にポジティブ·ネガティブポライトネス機能が付与される。後続文の相手にとって不利の発話を誘導し、発話解釈のリスクを軽減する。《反論》の前触れのクッションとして、衝突の緩和の効果が巧妙に現れている。

意外や躊躇の反応を表す「確かに」と逆接を表す「ですが」を用いられる応答パターンは、事実をしぶしぶ認めており、部分的同意の消極的な姿勢を示し、配慮表現として衝突の緩和の機能をしている。

5. おわりに

本稿は、配慮表現の観点から、語用論とコミュニケーション理論を活用し、副詞「たしかに」の慣習化のプロセスを解釈できることを試みた。

考察の結果、副詞「たしかに」は本来「確かさ」の意味を持ち、ポライトネスとは無関係であり、命題の真偽だけに関わる「確認」の機能を果たしているが、「確認」と「同意」が併存する際に、ポライトネス機能が拡張し、「確かさ」の意味が希薄になる。純然たる「同意」として機能する場合には、ポライトネスも文脈ごと慣習化し、「確かさ」の意味を喪失する。先行発話が《賛同要求》、《主張》、《非難》のような文脈は副詞「たしかに」の慣習化の契機となる。慣習化のプロセスは動態的なプロセスであり、以下のようにまとめられる。

第一段階：副詞としての原義は「明らかで間違いのないさま」である。
配慮機能なし。

第二段階：原義が希薄化し、「賛同表現」という配慮機能が拡張している。

第三段階：原義が喪失され、「賛同表現」という配慮機能が特化している。

また、「たしかに」はポライトネス機能が付与され、本来の意味機能が希薄になり、配慮機能を担う過程に伴って統語的特徴も改変されていることもわかった。感動詞化した「たしかに」は、応答者の「主体的な反応」と「ポライトネス」の連動の結果であり、以下のような特徴を持つ。

1）独立性を持っており、修飾、限定する機能を持たない。自己完結を表している。

2）即時性や場面性、主体性を持つ。実質的意味を持たず、配慮機能のみが果たされている。

3）応答詞や終助詞などと共起し、定式化する。主体の情緒レベル（積極的）を反映し、配慮効果（積極的）を伝達する機能が果たされている。

注

1）ここでは、品詞論における厳密な品詞規定が目的ではなく、副詞的に用いられる要素がいかに慣習化するかということを明らかにすることが主目的であるため、本稿ではこれ以降、この＜（A）形容動詞「たしか」＞の連用形である副詞的な用法を＜副詞「たしかに」＞と呼び、その機能の拡張を捉えていきたい。

2）本稿では、応答発話とは、先行発話によって伝達された発話意図に対する主体的な反応・発話であると定義する。

3）山岡他（2018：8-13）は、「言語学の諸部門の中で、発話の効力が発生するメカニズムを探求する部門は語用論（pragmatics）である」「発話状況から切り離され、言語形式（音声・文字）のみによって構成される言語単位が文（sentence）である。いっぽう、対人コミュニケーションにおける特定の発話状況の中で文を発することによって、特定的で具体的な意味を伝達するのが発話（utterance）である。文は発話の構成要素の一つである」と述べ、発話と文の意味上の違いは意義と効力であることも指摘している。

4）具体的な指摘は、本稿の「はじめに」の部分にすでに述べている。

5）石川（2017）は現代の日本語における応答詞は、副詞から感動詞の下位に分類されるとの品詞の変遷を示している。つまり、応答作用を持つ本研究の対象である副詞「たしかに」は、感動詞の下位分類に属するわけである。しかし、本稿では、意味・機能上の変化から副詞「たしかに」を捉えるので、応答詞は感動詞の構文上の特徴を持つが、感動詞の実質的意味を持たず、先行発話に依存する特殊な感動詞である。そこで、ここでは「感動詞化」と呼ぶ。

6）山岡（2020）は語用論的視点から、「発話機能は聴者に対して何らかの次の行動への期待を含意している。発話役割で言えば、《要求》は《付与》を期待する。発話機能で言えば、《命令》は《請負》（undertaking）を期待し、《質問》は《返答》（answer）を期待する。それだけでなく、《付与》もまた、それが相手に《受容》されることを期待するという特徴において一種の《要求》的要素を帯びる。つまり、《提供》は《受容》（accept）を期待し、《陳述》は《承認》（acknowledgment）を期待する。このように、第一発話の話者による《要求》発話とその聴者が次に第二発話の話者となって行う《付与》発話とは、一組の緊密な相互交流なのである。後続の話者には、相手の期待に添わない自由裁量もある。（中略）《要求》—《付与》の組み合わせによって緊密性を保つ発話対を山岡（2008）では「連」と呼んだ。」と指摘している。また、発話者の意見や主張に関わる発話機能の語用論的条件も言及しているが、紙幅の都合上、省略する。

7) 森山（2015: 57-59）は新情報遭遇型応答と感動詞との交渉について、「応答者の認知的プロセスに着目すれば、肯定的な方向で新情報に関する情報を参照する場合と、受容において意外感を示す場合、そして、いずれでもない中立的に新情報を導入する場合、という大別して三種類の反応に分けることができる」と述べている。また、応答者は新情報に遭遇する際に、主体的な反応（プラス評価的、マイナス評価的、評価に中立的（驚きを表す））をすることが前提とされていると指摘している。

8) 山岡･他（2010: 72）では、B&L （1987）は「人はだれでも社会生活を営む上で他者との人間関係に関わる基本的欲求を持つ。これがフェイスである。さらにフェイスに 2 種あり、他者に受け入れられたい、好かれたい、という欲求を積極的フェイス（positive face）、自分の領域を他者に邪魔されたくない、という欲求を消極的フェイス（negative face）とする。相手のフェイスを脅かす可能性がある行為を総称してフェイス脅かし行為（face threatening act : FTA）である」と述べており、それを補償するための配慮言語行動がポライトネスであると指摘している。

9) 山岡（2018 : 6）と山岡他（2010 : 68）の Leech（1983）のポライトネスの原理や Brown and Levinson（1987）のポライトネス理論の相関性が持つ配慮表現の原理（一部抜粋）を整理し、以下のようになる。

是認の原則

(a) 他者への非難を最小限にせよ（N）　(b) 他者への賞賛を最大限にせよ（P）

一致の原則

(a) 自他の意見相違を最小限にせよ（N）(b) 自他の意見一致を最大限にせよ（P）

共感の原則

（a） 自他の反感を最小限にせよ（N）　（b） 自他の共感を最大限にせよ（P）

10） 紙幅の都合上、以下の用例を簡単に分析することとする。

参考文献

安達太郎（1997）「副詞が文末形式に与える影響」，『広島女子大学国際文化学部紀要』3，pp. 1-11，広島女子大学国際文化学部.

石川創（2017）「「応答詞」の品詞上の位置づけに関するノート」，『駒沢女子大学研究紀要』第24号，pp. 1-12

大野文（1997）「「たしかに」と「なるほど」」，『日本語·日本文化研究』7，pp. 155-164，大阪外国語大学日本語講座.

工藤浩（1978）「『注釈の副詞』をめぐって」，国語学会昭和五十三年春季大会研究発表要旨.

小矢野哲夫（1983）「副詞の呼応—誘導副詞と誘導形の一例—」，渡辺実編『副用語の研究』，明治書院.

澤田治美（1978）「日英語文副詞類の対照言語学的研究—Speech act 理論の視点から—」，『言語研究』74号，pp. 1-36，日本言語学会.

寺村秀夫（1991）『日本語のシンタクスと意味第Ⅲ巻』，くろしお出版.

中右実（1980）「文副詞の比較」，國広哲弥編『日英語比較講座２文法』，pp. 159-219，大修館書店.

蓮沼昭子（2018）「自然談話における副詞の応答用法—「もちろん」「たしかに」「なるほど」を例に—」，『日本語日本文学』第28号，PP. 1－26，創価大学日本語日本文学会.

原田信一（2010）「現代東京の話ことばにおける言語形式「たしかに」—大学生による日常会話をデータとして—」，『社会言語科学』13－1，PP. 136－150，日本社会言語科学会.

森本順子（1994）『話し手の主観を表す副詞について』，PP. 109，くろしお出版.

森山卓郎（2015）「感動詞と応答」，友定賢治編『感動詞の言語学』，PP. 53-81，ひつじ書房.

山岡政紀·牧原功·小野正樹（2010）『コミュニケーションと配慮表現—日本語語用論入門』，PP. 68、72、198-199，明治書院.

山岡政紀（2015）「慣習化されたポライトネスとしての配慮表現の定義」，『日本語

用論大会第17回大会発表論文集』第10号，pp. 315-318，日本語用論学会.
山岡政紀（2016）「配慮表現の慣習化と原義の喪失をめぐる一考察」，『日本語コミュニケーション研究論集』第5号，pp. 1-9，創価大学·筑波大学日本語コミュニケーション研究会.
山岡政紀（2018）「日本語配慮表現の分類と語彙リストについて」，『日本語コミュニケーション研究論集』第7号，pp. 3－11，創価大学·筑波大学日本語コミュニケーション研究会.
山岡政紀（2020）「日本語疑問表現の会話における発話役割—発話機能論からの考察—」，『語用論フォーラム3』，pp. 43－73，ひつじ書房.
山岡政紀·牧原功·小野正樹（2018）『新版·日本語語用論入門—コミュニケーション理論から見た日本語』，pp. 8－13，明治書院
渡辺実（1971）『国語構文論』，塙書房.
Brown, P.& S. Levinson（1987） *Politeness: Some Universals of Language Usage.* Cambridge: Cambridge University Press. （邦訳：田中典子監訳（2011）『ポライトネス言語使用における，ある普遍現象』研究社）
Leech, G.（1983）*Principle of Pragmatics, Longman.*（邦訳：池上嘉彦・川上誓作訳（1987）『語用論』紀伊国屋書店）

参考辞書

北原保雄編（2011）『明鏡国語辞典第二版』大修館書店
見坊豪紀他編（2014）『三省堂国語辞典第七版』三省堂
新村出編（2018）『広辞苑第七版』岩波書店

用例出典

『名大会話コーパス』（「現代日本語書き言葉均衡コーパス(BCCWJ)中納言」国立国語研究所 コーパス開発センター）より（data067）
テレビドラマ·映画シナリオより（「グッドモーニング」西荻弓絵脚本　フジテレビ系　1994年7月28日）

日本の食品テレビ広告における オノマトペについて

A Study on the Onomatopoeia in Japanese TV food advertisements

呂　雷寧　郭　雅菲
LÜ　Leining・GUO　Yafei

提要

本文以日本的电视食品广告为素材，从形态、意义和用法等方面对拟声拟态词的特征进行了分析。通过本文的调查发现，电视食品广告中「XXX＋っ」型、「ABAB」型、「XXX+ん」型和「Aっ Bり」型的拟声拟态词使用最多。此结果与辞典中所收录的拟声拟态词的统计情况出现较大偏差，与其他领域的调查结果也大相径庭。在用法上，电视食品广告中出现的拟声拟态词主要表现在以下两种情况：1）通过表示人类感情和动作间接描述食品；2）直接描述食品。电视广告与拟声拟态词，二者相得益彰。

キーワード：食品テレビ広告、オノマトペ、形態的·用法的特徴、相乗効果

目次

1. はじめに
2. 先行研究
3. データの収集
4. オノマトペの形態的特徴
5. オノマトペの意味・用法的特徴
6. オノマトペと食品広告の相乗効果
7. おわりに

1. はじめに

オノマトペとは、「ざあざあ」、「じょきじょき」のような、物の音や声などをまねた擬音語と、「てきぱき」、「きらきら」のような状態などをまねた擬態語を指す言葉である（『日本大百科全書：ニッポニカ』1994）。また、山口（2003：1）では、擬音語は現実の世界の物音や声を私たちの発音で写し取った言葉で、擬態語は現実世界の状態を私たちの発音でいかにもそれらしく写し取った言葉であると定義されている。

よく言われているように、日本語はオノマトペに富み、またオノマトペによって特徴付けられた言語である。これはまた、母語にそれほどオノマトペが多くない学習者にとって、日本語のオノマトペがなかなか身につかない難点であると言われるゆえんであろう。また、一言オノマトペと言っても、普段よく使われているものが一般の辞書になかったりするなど、実際の場面での使用状況は辞書に載っているのと必ずしも一様ではないため[1)]、一層習得のハードルが上がってしまう。

そこで、本稿では日頃よく見られる馴染み深いテレビ広告を取り上げ、それに用いられたオノマトペを分析することにより、実際の場面におけるオノマトペの使用状況の一側面を明らかにすることを目的とする。

2. 先行研究

オノマトペに関するこれまでの先行研究では、オノマトペ全般についてその特徴や意味を考察したものが最も多く見られる。音韻形態や音象徴的意味について論じたものは田守（1998）、陳（2006）、清水・坂本（2011）などがある。オノマトペの特徴からその役割を考察したものは、渡辺・中村（2015）、西見（2016）、福島（2016）などが挙げられる。

また、雑誌や宣伝施設という使用場面に注目し、それに使用されたオノマトペについて考察した研究もたくさんある。シティ・ハジャ（2014）は5年分の女性ファッション雑誌『LEE』を用い、その中のオノマトペを分析した結果、化粧品広告の中で、「A っ B り」型と「ABAB」型のオノマトペの使用率が極めて高いと指摘している。その結果を踏まえ、赫 (2017) はさらにファッション誌を料理誌と比較することによって、ファッション誌で使用されたオノマトペは形態の種類が比較的に豊富で、また「オノマトペ A の語基＋オノマトペ B の語基＝新しい語」という新しい形態も積極的に取り入れられていると述べている。

以上から分かるように、オノマトペに関する研究はオノマトペ全般のマクロ的考察から、研究範囲を特定な使用場面に限定し、ジャンルごとのミクロ的考察へと細分化していく傾向にある。しかし、これまでの研究では、研究範囲がまだ狭く限られているため、オノマトペの使用状況の全貌は依然として解明されていない。広告に焦点を当てた先行研究について言えば、広告の内容と形式のいずれについても全面的な考察が行われていないように思われる。まず、研究内容がほとんど化粧品やファッションであるため、研究対象としてのオノマトペは「しっとり」、「さわやか」など肌の感触に関するものに狭められてしまい、それ以外の分野に関するものにはあまり言及されていない。次に、広告形式が大体雑誌や宣伝文章など文字だけによる伝達形式に限られ、実際の発話により近いテレビ広告という動画形式への言及は見当たらない。

本稿では、これまでの研究を踏まえ、オノマトペの使用状況の全貌解明に一助になるために、日頃よく見聞きするテレビの食品広告に焦点を当て、それにおけるオノマトペについて考察を試みたい。

3. データの収集

本稿では、日本の食品テレビ広告のコラムからオノマトペを抽出したうえで、形態と意味・用法という二つの観点から、それらのオノマトペの特徴について分析する。以下では、データ収集の方法と結果を説明しておく。

3.1 収集方法

本稿では、YouTube にある、Weird, Funny & Cool Japanese Commercials という日本テレビ広告コラムから食品広告を収集することにする。Weird, Funny & Cool Japanese Commercials コラムは、インターネット上で日本語広告をまとめているビデオコラムで、2015 年 1 月から 2018 年 2 月まで計 64 期の番組がネットにアップされている。コラムに収録されている広告はいずれも日本のテレビで上映済みのものである。さらに、コラムには数多くの食品広告が含まれているため、食品広告を抽出するのに最適なものであると考えられる。本稿では、コラムに収録されている 1 期から 32 期に含まれているすべてのテレビ食品広告を研究対象とする。

「オノマトペ」であるか否かを判断する際、数多くの先行文献において、基準として最も使用率の高い『暮らしのことば 擬音・擬態語辞典』（山口 2003）に依拠することにする。それに収録されている 2041 項[2)] の語例に従ってオノマトペか否かを判定し、YouTube の Weird, Funny & Cool Japanese Commercials#1 から#32 の中の食品広告をすべて見通し、オノマトペを使用した広告の商品名、使用したオノマトペの数、オノマトペの語例、オノマトペの型別種類及び出所のウェブサイトを記載し、文単位でデータベースを作成する。

3.2 収集結果

上述したコラムの 1 期から 32 期の計 598 本の広告から、食品広告が 281 本得られた。そのうち、オノマトペを使用した広告数は 225 本で、1 本の広告の中で複数のオノマトペを使用したケースもあれば、複数の広告で同じオノマトペを使用したケースもある。いずれのケースをも含めて、オノマトペの用例が延べ 309 個収集され、平均して食品広告 1 本にオノマトペ 1.1 個という抽出率である。

これら 309 個のオノマトペは型別で、「XXX＋っ」、「ABAB」、「XXX+

ん」、「AっBり」、「AAA」、「オノマトペ＋ー」、「ABB」、「ABCABC」、「AんBり」、「ABA」という十種類に分類することができる。それぞれの具体的な使用状況は次の表1に示される。

表1　抽出されたオノマトペ(309例)の型別使用率

型別種類	語例	出現回数	使用率
XXX＋っ	がつっ	107	34.63%
ABAB	きらきら	97	31.39%
XXX+ん	ちーん	43	13.92%
AっBり	すっきり	19	6.15%
AAA	ははは	15	4.85%
XXX＋ー	ちゅー	13	4.21%
ABB	えへへ	10	3.24%
AんBり	ふんわり	2	0.65%
ABCABC	ぷるんぷるん	1	0.32%
ABA	とっと	1	0.32%
その他	どっきゅう	1	0.32%

表1から分かるように、食品広告から抽出したオノマトペの中で、「XXX＋っ」型、「ABAB」型、「XXX+ん」型、「AっBり」型が比較的に多く使用され、合わせて用例の86%もの割合を占めている。次節からは、これら出現頻度上位のオノマトペに焦点を当て、その特徴を分析することによって、食品テレビ広告で使用されやすい理由を説明していく。

4. オノマトペの形態的特徴

本節ではまず、以上収集されたオノマトペの形態的特徴を概観してから、出現頻度の高いオノマトペの型を取り上げ、さらにそれらのオノマトペについて分析を深めていく。

今回の調査で出現頻度において上位四型のオノマトペには、特殊音「っ」と「ん」が多用されていることが分かる。その中でも、「XXX＋っ」型が一番多い。続いては「ABAB」型と「XXX＋ん」型である。四位の「AっBり」型は三位の「XXX＋ん」型と大きな差があり、出現頻度がかなり下がっている。しかし、筆者が『暮らしのことば 擬音・擬態語辞典』（山口 2003）に収録されているオノマトペについて行った統計から、今回の調査と異なった結果が得られた。すなわち、上記の辞書においては、出現率が最も高いのは「ABAB」型と「AっBり」型で、用例数がそれぞれ518と175である。また、シティ·ハジャ（2014）によると、ファッション誌に載っている化粧品広告においても、「ABAB」型と「AっBり」型のオノマトペの使用率が一番高く、「XXX＋っ」型と「XXX＋ん」型はそれほど見られないという。

上記のことから、実際の場面におけるオノマトペの使用状況は、必ずしも辞書の記載とは一致しないことと、分野によって異なることが明らかとなったと言えよう。以下では、上位四形態のオノマトペを取り上げ、それぞれの特徴を分析することによって、食品CMで多用されるオノマトペの共通的特徴をまとめる。

4.1 「XXX＋っ」型と「XXX＋ん」型のオノマトペ

本稿で示す「XXX＋っ」型のオノマトペは文字数と関係なく、「っ」を語尾にするオノマトペを指す。例えば、「わーっ」「しゃきっ」などがある。同じように、「ん」で締めくくる全てのオノマトペは「XXX＋ん」型で表し、「どん」「ふにゃん」などが挙げられる。上述した収集結果によって、これら二つの形態の用例はそれぞれ次の表2と表3に示すことができる。

表 2　「XXX＋っ」型(107 例)の内訳

オノマトペ	出現回数	オノマトペ	出現回数	オノマトペ	出現回数
わーっ	16	ごーっ	2	じゅわっ	1
うおーっ	15	すかっ	2	すいっ	1
がつっ	12	そーっ	2	すーっ	1
しゃきっ	6	ぱっ	2	ちっ	1
ちゅっ	6	ぱりっ	2	どーっ	1
ぽーっ	6	がぶっ	1	はっ	1
ぷっ	4	くらっ	1	ふっ	1
がりっ	3	グイっ	1	ぷーっ	1
ばーっ	3	さーっ	1	ぷちっ	1
ぱーっ	3	さくっ	1	ぺっ	1
きゅっ	2	ざーっ	1	ほっ	1
ぎゅっ	2	しゅっ	1	ぼーっ	1

表 3　「XXX＋ん」型(43 例)の内訳

オノマトペ	出現回数	オノマトペ	出現回数
うーん	13	あーん	1
ちーん	4	かつん	1
わーん	4	しん	1
がつん	3	すーん	1
じゃん	3	ちりりん	1
きーん	2	でーん	1
ちん	2	どん	1
にゃん	2	ぴん	1
ふにゃん	2		

オノマトペ自体の形態から見ると、語尾に「っ」を加えると、意味が変わらず、より迫力があり、動作の状態をより甚だしく感じる。このような迫力は特に食品の食感や味わいを描写するときに相応しいと考えられ、特に文字だけでなく、音声で感覚を表すテレビ広告では、語尾に促音の発音法はよりインパクトを生じるに違いない。例えば、固い物や砕けやすい食べ物を描写する「がつっ」や「しゃきっ」は、今回の研究でもよく「しゃきっとさわやか」といった表現に用いられ、歯触りの良い物が砕けたり噛まれたりするときの様子を生き生きと表現することができる。また、「っ」の前に長音を挿入し、あるいは長音オノマトペの後ろに「っ」をつけると、もともとの状態よりも激しい感覚を際立たせることができる。例えば、「わーっ」、「うおーっ」のようなものについて、『暮らしのことば 擬音・擬態語辞典』（山口 2003）の中でも、以下のように説明している。

【わっ】①大勢がいっせいに笑う声、またその様子。
②突然大声で激しく泣き出す時の声、またその様子。
③大勢の人がいっせいに何かをする様子。また、多数の物や事が、いっせいに動いたり、変化を見せたりする様子。
【わーっ】「わっ」①②③の類義語で、「わっ」よりも長く声をあげたり、動作や状態の程度が甚だしかったりする感じを表す。
（山口 2003：578）

【うおー】①動物の吠え声やうなり声。
②大勢の人間のわめき声やどよめき。
【うおーっ】「うおー」の類義語であり、「うおー」よりも迫力がある。
（山口 2003：13）

テレビ広告という、文字よりも音声が先に人に伝わる表現方法の中では、このような形を取る言葉は明らかにインパクトがあり、注目されやすい点で、広告の目的を完全に満たしていることには違いない。

同じく、「きーん」や「ちーん」などのような「XXX—＋ん」型の語も、より長く続いて絶えない感じを表すことができる。テレビ広告には、主体の移動や動作が続く様子のシーンでよく見られる。

4.2「ABAB」型と「Aっ B り」型のオノマトペ

「ABAB」型と「A っ B り」型のオノマトペをまとめると、表 4 と表 5 になる。「ABAB」型は計 97 語で、代表的なのは「はーはー」、「ぷりぷり」、「おいおい」などである。造語法から見ると、「はーはー」のような長音という特殊音を繰り返すバターンと、典型的な「ABAB」型の二つの種類に分けられる。

表 4　「ABAB」型(97 例)の内訳

オノマトペ	出現回数	オノマトペ	出現回数	オノマトペ	出現回数
はーはー	7	おうおう	1	にこにこ	1
ぷりぷり	5	キラキラ	1	のびのび	1
おいおい	4	きゅーきゅー	1	ひやひや	1
ぺこぺこ	4	きゅっきゅっ	1	ぴかぴか	1
きらきら	3	ぎざぎざ	1	びきびき	1
さくさく	3	くらくら	1	ぴくぴく	1
ぱりぱり	3	ざくざく	1	ぴちぴち	1
ぷちぷち	3	ざらざら	1	びんびん	1
もちもち	3	じりじり	1	ふるふる	1
いきいき	2	じゃんじゃん	1	ぷーぷー	1
ぐるぐる	2	ずんずん	1	ぷっぷっ	1
ごくごく	2	せーせー	1	ぷるぷる	1
しゃきしゃき	2	ぞくぞく	1	べりべり	1
すーすー	2	たらたら	1	ぼりぼり	1

どーどー	2	だらだら	1	めーめー	1
にゃんにゃん	2	ちゅーちゅー	1	めろめろ	1
へとへと	2	つぶつぶ	1	やきやき	1
いよいよ	1	つやつや	1	やんやん	1
うはうは	1	とろとろ	1	るんるん	1
うらうら	1	どうどう	1	わくわく	1
がきがき	1	どきどき	1	わんわん	1

表 5　「A っ B り」型(19 例)オノマトペの内訳

オノマトペ	出現回数	オノマトペ	出現回数
すっきり	10	こっくり	1
たっぷり	5	さっぱり	1
ぎっしり	1	ぷっくり	1

「ABAB」型と「A っ B り」型のオノマトペは異なり語数が多いため、意味や利用できる環境も幅広くて、様々な分野で使用されているようである。例えば、化粧品広告には、「つるつる」や「しっとり」など肌の状態を表すオノマトペがあり、食品広告には「ぷりぷり」や「すっきり」のような食べ物の食感を描写するものがある。したがって、オノマトペの中で語数の最も多い二つの形態として、「ABAB」型と「A っ B り」型は主としてどのような分野で使用されるかとは言えず、その使用範囲の広さを意識しなければならない。これも食品テレビ広告においては、「ABAB」型と「A っ B り」型の使用率が比較的に高いと言っても、まだトップには及ばない理由だと考えられる。

また、表 4 で示しているように、長音を繰り返すという独特な「ABAB」型オノマトペもいくつかある。それらのオノマトペは形態から見れば、前述した「XXX＋ん」と同じく動作の続く状態を表す時によく使われる。例えば、出現回数が最も多い「はーはー」は、主として息を吐き続ける様子を表す場合が多く、特に激しい運動の後、気持ちがすっきりした瞬間によく使用される。このような使い方は食品テレビ広告に用いられた「ABAB」型オノマトペの特徴だと言え、また次節で説明する用法的特徴にも密接な関係がある。

4.3 「ABB」型などその他の用例

表 1 で示している出現回数が少ない「ABB」型、「A ん B り」型、「ABCABC」型、「ABA」型、その他のオノマトペの用例は具体的に次のようなものである。

「ABB」型：あはは(8 例)、えへへ(1 例)
「A ん B り」型：ひんやり(1 例)、ふんわり(1 例)
「ABCABC」型：ぷるんぷるん(1 例)
「ABA」型：とっと(1 例)
その他：どっきゅう(1 例)

「ABB」型のオノマトペはほどんど大きく口を開けて笑う様子を表す「あはは」であるが、これも「ABB」型オノマトペの形態的特徴を代表していると言える。『暮らしのことば 擬音・擬態語辞典』（山口 2003）で示されているように、「ABB」型オノマトペは「うひひ」、「がはは」など人が自慢そうに笑う様子を表すものが非常に多い。このような特徴はまたテレビ広告にふさわしく、さらに次節で説明するオノマトペの用法的特徴にもつながっていると考えられる。

5. オノマトペの意味・用法的特徴

今回収集したオノマトペは、意味・用法という観点から見れば、人間の動作と感情を表すオノマトペと、食品自体の特徴を描写するオノマトペという二つの種類に分けることができる。テレビ広告という宣伝方法には主体の「食品」のほか、それとインタラクトする「人間」も存在するのが一般的である。ゆえに、修飾対象によって、「がつっ」、「もちもち」のような食感を表すオノマトペと、「わーっ」、「すっきり」など人の動作と感触を表現することで間接的に食物をアピールするようなオノマトペがあることが分かる。

5.1 人間の動作・感触を表すオノマトペ

人間を描写するオノマトペは、主として食べ物を口にした後の感覚を表すのに使われる。特にわくわくしている様子や喜んでいる様子を表現する場面が多い。そのうち、大笑いや喚き声の描写は一番表現力が高く、それにふさわしいオノマトペを使用することによって、商品の刺激性を表すことができる。例えば、ビールや炭酸ジュースなどの飲み物の広告で大勢の人が一斉に喚くシーンによく使用される「わーっ」と「うおーっ」がその代表である。今回の調査では、「わーっ」と「うおーっ」を最も多く使用した広告のブランドがFanta、キリンビールなどの飲料メーカーであるという結果が得られた。その使い方としては、一つのオノマトペが単独で一文を成しており、人の瞬間的な驚きや喜びを表すパターンが多い。

「XXX＋ん」型の中でも、「うーん」という人のうめき声を描写するオノマトペがあり、人の疲れている様子をいきいきと表せるので、ガムやコーヒーなど元気を喚起するような商品に頻繁に使われている。「AっBり」型のオノマトペで最も使用率の高い「すっきり」は疲労や不調などが取れた後のさわやかな感じを表現する場合が多く、主に食物の味覚上の爽やかな食感や効能上の有効性を表している。「すっきり」が用いられた広告文も「のどすっきり！」や「眠気すっきり！」のような構造で、のど飴やコーヒーなどの広告によく出ている。

そのほか、顔や頬などに赤みがさす様子を表す「ぽーっ」や、口をすぼめて飲み物を吸う「ちゅっ」と、物か息を吹き出す「ぷっ」など、人が食品を食べた瞬間の気持ちを表すのではなく、食べているところの動作によって出てきた音を描写するオノマトペも非常に高い比率を示めている。例えば、「ソルマック」のCMで、「グイっと飲める」というような人が何かを飲んでいる時自然に出てくる音をオノマトペで表すことによって、飲み物のおいしさと飲みやすさが伝わってくる。

また、人間だけではなく、動物を主人公にする広告も数多く存在するため、その場合は「わーん」、「にゃん」など犬や猫の叫び声を表すオノマトペがよく使用される。

5.2 食品自体を描写するオノマトペ

人間の感覚や動作を表すオノマトペのほか、食品そのものの特徴を描写する語もたくさん出てきた。「がつっ」、「がつん」、「しゃきっ」は意味的に似ているオノマトペであり、三つともかたい物に対する描写によく使われ、歯触りの良い物が砕けたり噛まれたりするときの様子を表現するのにふさわしい言葉だと分かる。これらの用例の出所はいずれも、「明治チョコレート」、「ブルボンプチ」、「ザクリッチ」などチョコレートやポテトチップスの広告であった。そして、『暮らしのことば 擬音・擬態語辞典』(山口2003)によると、「しゃきっ」は爽快感を伴う表現であるという。今回の調査で得られた6個の「しゃきっ」はいずれもアイスクリームの広告に使用されいることも、さわやかな感じを表す時によく使われるオノマトペの一つだということを裏付けている。

ほかに食べ物の食感を表現する代表的なオノマトペは、弾力性と粘り気のある様子を表す「ぷりぷり」や「もちもち」、薄い物が砕けたりする時の乾いた音を表す「ぱりぱり」、「さくさく」などがある。いずれも食物自体に焦点を当てて表現する言葉である。

また、食感ではなく、食物の構造や成分を表すためにオノマトペを利用する場合もある。食品広告の中では、「栄養たっぷり」、「ジュースたっぷり」などのように、食物に含まれているものが十分であることを強調する場合には、よく「たっぷり」を用いる。必要な量よりも多くある様子を感じるため、化粧品広告でも食品広告でもよく使われ、買得であることをアピールすることで消費者の購買意欲を喚起するのに非常に役立つようである。

6. オノマトペと食品広告の相乗効果

食品広告の第一の要求は、短い時間で食物のおいしさをアピールし、消費者の「食べてみたい」という気持ちを喚起することだと考えられる。感覚をそのまま音韻やリズム感によって表現しているオノマトペを耳にしただけでその感覚通りに理解することができる。これが食品 CM に使用されるオノマトペの第一の役割であろう。本稿の 5 節でも論じたように、人間の感覚や動作を描写するオノマトペと食品の食感や成分を表現するオノマトペは、いずれも観衆の馴染み深い表現で情報を伝えているのである。これもまた雑誌や看板に書かれている文字型広告と違い、文字よりも音声を重視するテレビ広告独自の特徴だと言える。例えば、「ほくほく」なら焼き芋、「ふわとろ」ならオムライス、「とろっり」はプリン、「ぷるるん」はゼリー、「シュワシュワ」は炭酸飲料、「キンキン」と言えば生ビールがある。

こうしたオノマトペは、食べ物が「おいしい」というぼんやりとした全体的な認知とは違って、食べ物それぞれの具体的なおいしさを映し出し、食べ物一つひとつに立体感とリアリティーを持たせている。つまり、食品広告におけるオノマトペは食べ物にそれぞれの独自のおいしさのラベルを貼る役割を果たしているのである。そして、これはまた、言葉と感覚が一体化している証にもなっている。

『シズルのデザイン』(B･M･FT ことばラボ：2017）は言葉の動きから見たおいしさの感覚を図 1 のように示している。オノマトペ独特な音感・リズム感は CM のインパクトに関する需要を十分満たしている。今回の研究で分かったように、食品 CM におけるオノマトペは特殊音「っ」や「ん」で締めくくる言葉が多く、より表現としての迫力と余韻を伝えることができる。

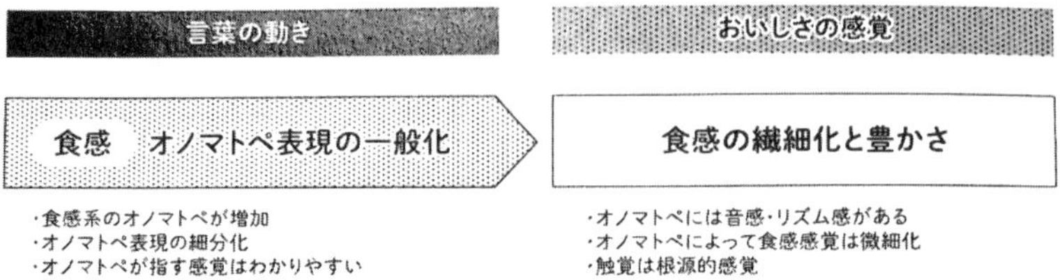

図 1　言葉の動きから見たおいしさの感覚

（『シズルのデザイン』B･M･FT ことばラボ：2017）

また、化粧品や日用品広告と比べると、食品広告は感覚的刺激を伝えやすいという特徴を持っている。人が食物を食べている様子を見たり、その音を聞いたりすると、すぐその食物の味や食感を連想できることも、オノマトペを創出する土壌を成しているのである。このような相乗効果は、オノマトペという、日本語に欠かせない言葉をより豊かな使い方で広げるのに快適な使用環境を生み出している。

7. おわりに

本稿は日本食品 CM に使用されたオノマトペについて考察を行ったものである。

まず、225 個の日本の食品広告から、計 309 個のオノマトペの用例を抜き出し、CM 単位でデータベースを作成した。

収集したデータに現れたオノマトペの頻度から見て、「XXX＋っ」型、「ABAB」型、「XXX+ん」型、「A っ B り」型という四型のオノマトペが多く使用されていることが分かった。そのうち、「ABAB」と「A っ B り」型のオノマトペは食感を表現するのによく使われているが、辞書や化粧品広告における出現率と比べ、食品 CM での使用率はそれほど高くないことも分かった。それに対して、辞書にそれほどたくさん載っていない「XXX＋っ」型と「XXX+ん」型のオノマトペは語尾の「っ」か「ん」によって、より迫力のある感覚を伝えやすいため、食品広告には非常に多用されている。そして、食品テレビ広告におけるオノマトペは、人間の動作･感触を表すものと、食物自体の食感などを描写するものという二種類に分けられる傾向がある。このような特徴を持っているオノマトペは、消費者の食品に対する認知において、より瞬間的に共感を呼ぶことができるため、文字よりも音声を重視するテレビ広告には非常に大切だと考える。一方、日常生活に満ち溢れているCMはまた、オノマトペという独特な言葉の発展と伝播にとって絶好のキャリヤとなっている。

もちろん、今回の調査も含め、これまでの研究は広告の一部にしか触れておらず、広告におけるオノマトペの全貌の解明にはまだ程遠い。化粧品や食品のほかにも様々な内容と形式の広告があり、そして、それらの広告には数多くのオノマトペが使用されている。広告におけるオノマトペの全体像を把握するために、今後のさらなる研究が必要である。

注

1）大野（2013：165）は日本語辞書に載っているオノマトペについて、「オノマトペという意識が薄れ、非オノマトペの副詞と同類になりつつある」と述べている。
2）索引による計測数。解説、コラム、特集をも含む。

参考文献

アブドゥル･ラザック、シティ･ハジャ(2014)「ファッション雑誌の化粧品広告におけるオノマトペについて」『人間文化創成科学論叢』第16巻，pp.77-85

大野純子（2013）「日本語辞典はオノマトペに関して何を載せるべきか」『大正大学研究紀要』第98輯，pp.160-168

赫楊(2017)「ファッション誌におけるオノマトペの特徴：料理誌との比較」『一橋日本語教育研究』第8巻，pp.57-67

神宮英夫（2000）「感情を生かしたものづくり－オノマトペの役割－」『人間工学』第36巻特別号，pp.536-537

清水祐一郎、坂本真樹（2011）「音象徴的意味を利用したオノマトペ生成・イメージ判定システム」『The 25th Annual Conference of the Japanese Society for Artificial Intelligence，2011』1C2-OS4b-2，pp.1-3

田守育啓（1998）「日本語オノマトペ－多様な音と様態の表現－」『日本音響学会誌』第 54 巻 3 号，pp.215–222

田守育啓（2012）「商品名及び店名·施設名に利用されているオノマトペ」『人文論集』第 47 巻，pp.49-70

西見真衣子（2016）『オノマトペの果たす役割と効果について』，跡見大学修士優秀卒業論文

浜野洋子(2014)『日本語のオノマトペ-音象徴と構造』くろしお出版.pp.1-50

福島宙輝(2016)「味覚を表現することばの象徴性と動機づけ」『The 30th Annual Conference of the Japanese Society for Artificial Intelligence』2016 期，pp.1-4

山口仲美(2003)『暮らしのことば 擬音・擬態語辞典』講談社

渡辺直恵美、中村聡史上(2015)「オノマトペロリ：味覚や食感を表すオノマトペによる料理レシピのランキング」『人工知能学会論文誌』第 30 巻 1 号 SP2 - N, pp.1-13

BMFT ことばラボ(2017)『シズルのデザイン』誠文堂新光社，pp.1-17

“一点儿”と“有点儿”の相違について

About difference between *“yidianr”* and *“youdianr”*

時　衛国
SHI Weiguo

提要

“一点儿”和“有点儿”都能修饰状态，表示少量或低程度，对状态具有描写性，都能描写状态；都可以在同一句中与程度副词共现，表示复合量，但二者在能否与否定命题共现、能否修饰动作以及控制动作等方面存在差异。

“一点儿”作为数量词可以用于特定比较，可以用于相对评价，对于状态和动作既具描写性，又具可控性，修饰范围极广，但是不能与否定命题共现，也不能与形容词重叠式或补语词组共现。

“有点儿”作为程度副词，依据社会标准评价事物，可以修饰各种状态，用于非特定比较，不能用于特定比较，可以修饰形容词重叠式、补语词组以及否定命题，但只限于修饰状态，对状态只有描写性，没有可控性，不能修饰动作和行为。

キーワード：少量　低程度　評価基準　文法的機能　複合的修飾

1．はじめに

“一点儿”は形容詞や動詞などの後に用いられ、少量を表わす数量詞である。一方、“有点儿”は形容詞や動詞などの前に用いられ、低い程度性を表わす程度副詞である。

両語は、品詞的には異なるものの、いずれも形容詞や動詞などを修飾し、また低い程度性を表わしたり、少量を表わしたりすることができるという点では共通している。そこで、この両語はどのように用いられ、どのような文法的機能を有し、その用法にどのような差異があるのか、様々な観点から考察する必要性を痛感してきた。

本研究は、この二語の意味・用法について、評価基準・文法的機能及び複合的修飾のあり方などの観点から考察し、二語の共通点と相違点及びそれぞれの文法的特徴などを究明したいと考えている。

2. 先行研究

“一点儿”と“有点儿”の意味と用法については、多くの研究がなされている。

“一点儿”については、袁毓林(1992)では形容詞と祈使文[1]との関係について述べて、“一点儿”に触れている(P113～157)。馬慶株(1998)では動詞補語の構造における“一点儿”については言及しているが、それと程度副詞との共起関係については言及していない(P89、P123)。また、李宇明(2000)、张亚军(2002)、张谊生(2004)、張国憲(2006)などにも言及があるが、詳しい考察はしていない。

程美珍(1988)、馬真(1989)は主として“有点儿”と形容詞との関係について述べている。王聡(1993)では“有点儿”と動結式と「動詞述語＋目的語」という構造について記述されているが、“有点儿”とその他の構造との関係についてはあまり言及されていない。李宇凤(2007)、时卫国(1998)では“有点儿”と形容詞及びその重ね型と少量を表わす程度副詞(“稍微”“多少”類)との関係について考察しているが、詳しく考察したものではない。

史彤嵐(2008)では、AV構造(明天早点儿来(明日は少し早めに来てください))とVA構造(明天来早点儿(明日は少し早めに来てください))における“一点儿”を取り上げて考察している。また、“形容詞＋一点儿”と“有点儿＋形容詞”の二つの表現についても考察しているが、この二語と程度副詞との共起関係についてはあまり触れていない。

これらの論考は参考になるものが多々あるが、“一点儿”と“有点儿”の相違については更に考察する余地があると考えている。

3. 分析

3.1 評価基準

特定的比較とは、比べる対象を明確に取り上げる顕在的な比較である。そして、非特定的比較とは、比べる対象を特に取り上げず、常識による潜在的な比較である。

“一点儿”は、発話者が他の事象との比較を視野に入れて、その事象の少量を表わすものである。

(1) 今天冷一点儿[2]。(今日は少し寒い)[3]
(2) 今天比昨天冷一点儿。(今日は昨日より少し寒い)
(3) 这双鞋大，有没有小一点儿的？(この靴は大きいので、もう少し小さいのはありませんか)
(4) 这双鞋大一点儿，有没有小一点儿的？(この靴はちょっと大きいので、少し小さいのはありませんか)

“一点儿”は、(1)では“冷”という形容詞を修飾し、今日という一日の気温を相対的に評価している。その評価基準は発話者の主観に基づいて、他の日の温度差との比較を表現してはいないものの、それを視野に入れて比べている。(2)では、今日と昨日を比較して、今日の寒さの温度が昨日を少し上回っていることを表わしている。ここでは、特定された二日間の温度の差が僅少であることを強調している。そして、(3)では、靴のサイズを比較してやや小さいことを示唆し、話者の主観による判断を表わしている。(4)では、靴の大きさが基準を少し外れているが、そのずれが大きくないことを表わしている。

“一点儿”は発話者の主観に基づいて設けた評価基準によって、状態の量性を修飾し、基準値からは少しずれていることを表わし、他との比較を視野に入れていることを示唆している。

一方、“有点儿”は常識に基づいてある状態が少し常識を外れていることを表わし、主観的に評価している。たとえば、

(5) 今天有点儿冷。（今日は少し寒い）

(6) *今天比昨天有点冷[4]。（「今日は昨日より少し寒い」の意）

(7) 这双鞋有点儿大，有没有小一点儿的？（この靴はちょっと大きいので、少し小さいのはありませんか）

(8) *这双鞋大一点儿，有没有有点儿小的？（「この靴はちょっと大きいので、少し小さいのはありませんか」の意）

“有点儿”は(5)において、今日という一つの事象について、常温を少し下回っていることを表わしている。主観的な表現として、常識を基に評価しているが、昨日や一昨日などとの比較は視野に入れてはいないのである。それで、(2)におけるような「今日」と「昨日」という特定的な事象の比較ではない。“有点儿”は、状態を評価する場合、単なる常識による評価を表わし、(7)において前節の状態を修飾することができるが、(8)では比較を前提としているため、不適格となる。この場合、“有点儿”は、主観による絶対的な評価を表わすことになり、可能性の示唆には用いられないのである。

“有点儿”は常識による評価を表わし、比較前提の程度評価を表わさないという点では、“一点儿”と根本的に異なっている。この二語は主観的な評価を表わすという点では共通しているが、比較の視野を持つかどうかという点では全く異なっているのである。

(9) 找个合适的螺丝，大一点儿(的)小一点儿(的)都不行。（ピッタリ合うねじをさがしてちょうだい。大きいのも小さいのもだめですよ）

(10) *找个合适的螺丝，有点儿大(的)有点儿小(的)都不行。（「ピッタリ合うねじをさがしてちょうだい。大きいのも小さいのもだめです

よ」の意）

“一点儿”は相対的な比較を表わしていると同時に、状態の可能性も示唆している。(9)では相対的な比較や想定の可能性を示唆している。一方、“有点儿”は、相対的な評価も、想定の可能性も表わせないため、(10)のような表現は不適格となる。“有点儿”は相対的な評価と想定の可能性を表わすことができないという点では、“一点儿”とは異なっている。

3.2 文法的機能の相違

3.2.1 “一点儿”

“一点儿”は動作や状態などを修飾し、そのまま描写する文法的機能、いわゆる描写性というものを持っている。また、その動作・状態を発話者の意図によって動かすことができる文法的機能、いわゆる制御性というものも持っている。

言い換えると、“一点儿”は、動作・状態に対する描写性を持っているだけでなく、動作・状態に対する制御性も持っている。そのため、静的状態でも動的状態でも修飾することができて、広い修飾範囲を持っていると考えられる。たとえば、

(11) “不要紧不要紧，我加点好煤……”看门人连声说着，弯腰从床底下拖出一柄枣红色把儿的锋利小斧头。（大丈夫、大丈夫。僕はよい石炭を入れとくと門番の人は続けさまに言った。そして、腰をかがめてベッドの下から棗色の柄から刃先の鋭利な小さな斧を引っ張り出した）（莫言《酒国》P13 作家出版社 2012）

(12) 女人想了想，说：“多少一瓢吧，洗得干净一点找人喜。”（女は少し考えてから「一杯いくらするの?きれいに洗っといた方が感じがいいですよ」と言った）（莫言《酒国》P63 作家出版社 2012）

“一点儿”は、(11)では“加”という動作の量を予想的に示唆し、その動作の量が少ないことを表わしている。“一点儿”は動作・行為を表わす動詞を修飾できるという点では“有点儿”と区別される。そして、(12)は“干净(綺麗だ)”という状態を意識的に捉え、その状態の相対性と可能性を示している。

“一点儿”は、また、勧誘・指摘・請求・注意・叱責などの表現にも用いられている。たとえば、

(13)“～。酒是国家的重要税源，喝酒实际上是为国家作贡献。喝点，喝点，别让我们脸皮没处放。”(「～。お酒は国の重要な税源だから酒を飲むことは国に貢献するということだ。飲んで！飲んで！顔を立ててくれ」)（莫言《酒国》P46 作家出版社 2012）

(14)丁钩儿看着他腰挂毒瓦斯枪、手挥电警棍的嚣张模样，心里很愤怒，便说：“小子，你说话客气点！”（丁鉤儿は彼が毒ガス銃を腰に付け、警棒を手にして威張っている格好を見て、怒りを覚えて言った。「お前、ちゃんと言ってよ！」）（莫言《酒国》P133 作家出版社 2012）

“一点儿”は、(13)では、飲酒という行為について、少量を暗示しながら勧誘することを表わしている。(14)では、聞き手を叱責し、礼儀正しくものを言うことを要求している。これらの例文では、“一点儿”はそれぞれ動作と状態を支配し、発話者の意図が実現できるよう働きかけることを表わしている。

“一点儿”は、すでに実現された動作や状態に対しては、主としてその動作・状態に含まれた量性を描写しているが、これから実現される動作や状態に対しては、その動作・状態に含まれた量性を支配し、発話者による目標実現のための希求を表わしている。

“一点儿”が、動作・状態の量性を描写する場合は、“吃(食べる)”“喝(飲

む）”“做（やる）”“写（書く）”“说（話す）”“讲（喋る）”“看（見る）”などのような動作・行為を表わす動詞を修飾することができる。また、“大（大きい）”“小（小さい）”“多（多い）”“少（少ない）”などのような中性的意味を持つ形容詞も、“好（良い）”“舒服（気持ちがよい）”“安全（安全だ）”“安静（静かだ）”などのようなプラス的意味を持つ形容詞も修飾できる。そして、制御性を発動する時には、中性的意味を持つ形容詞やプラス的意味を持つ形容詞を修飾することになり、マイナス的意味を持つ形容詞は修飾できない。ただし、描写性の発動の場合はマイナス的意味を持つ形容詞は修飾することができる。

“一点儿”は、主として動作・状態を修飾し、その動作・状態における少量を暗示しながら、発話者による目標実現への呼び掛けに用いられている。しかし、その文法的機能は、動詞・形容詞などの肯定形式にしか効力を持たず、その上肯定命題でなければ発揮できないということである。なぜなら、肯定形式を取らない場合は、量性の多寡が想定できないからである。

“一点儿”は、また、形容詞の重ね型（AA 式、ABB 式、A 里 AB 式、AABB 式、ABAB 式、BABA 式など）を修飾することができない[5]。形容詞の重ね型に含有された状態性と程度性は、“一点儿”によって表わされる性質のものではないため、“一点儿”の修飾の対象とはならない。また、形容詞の重ね型は重ねられることによって、その文法的機能を強調するため、その構成により、数量詞による修飾を受け入れることができない。それで、“一点儿”は形容詞の重ね型を修飾することができない。

また、“一点儿”は四文字の熟語やその他の文法形式も修飾することができない。たとえば、“气急败坏（慌てふためくさま）”“夸大其词（大げさにいう）”“莫名其妙（不思議だ）”“心驰神荡（思いを馳せる）”などの四文字の熟語、「動詞述語＋補語（沉不住气（気が落ち着かない）、紧张起来（緊張してくる））」などの文法形式は、それぞれ状態性と程度性を含有しているが、その構成によって、量的語句の修飾を受け入れることができない。それで、“一点儿”によっては修飾できない。

“一点儿”は、動作・状態に対して強い描写性と制御性を保有しているため、広い修飾範囲を保っているとはいえ、形容詞・動詞だけを修飾し、形容詞の重ね型や動詞からなる文法形式は修飾できない。また、形容詞・動詞の否定形式も修飾することができないため、文法的機能の実現は肯定形式を取らなければならないという特徴が見られ、それなりの制限も受けていると考えられる。

3.2.2 “有点儿”

“有点儿”は制御性を付与されていないため、勧誘・指摘・請求・注意・叱責などの表現には用いられない。また、動作・行為などを表わす動詞も修飾できない。たとえば、“*有点儿加（「少し加える」の意）”などのように、動作・行為などを表わす動詞を修飾できない。“有点儿”は、強い描写性を保有するものの、動作・行為に対してはその機能を発揮することができない。“有点儿”は動詞を全く修飾できないというわけではないが、状態を表わす動詞や動詞フレーズの場合は、それらを修飾することができる。というのは、状態を表わす動詞や動詞フレーズは状態性と程度性を含んでいるからである。動作・行為を表わす動詞は状態性と程度性を含んでいないため、“有点儿”によっては修飾できないのである。“有点儿”は程度副詞として状態を表わす動詞や形容詞を修飾できるが、動作・行為における量性を修飾できない。そのため、勧誘・指摘・請求・注意・叱責などの表現には用いることができないのである。

(12)における形容詞“干净（綺麗だ）”の表わす状態については、“有点儿”は相対性と可能性を表現できないため、共起することができない。“有点儿”は“干净（綺麗だ）”という種類の形容詞を修飾できるが、その状態の形成に必要な相対性と可能性を示すことができない。この点から考えると、“有点儿”は“一点儿”と異なった文法的機能を具有しているものと言える。

“有点儿”は、相対的な状態性を持つ動詞や形容詞を修飾し、様々な状態を描写することができる。“一点儿”は動的状態も静的状態も修飾できるのに対し、“有点儿”は静的状態しか修飾できない。“一点儿”は肯定命題でしか修飾の機能を発揮できないが、“有点儿”は肯定命題だけでなく、否定命題においてもその文法的機能を発揮することができる。

(15)桌上除了饭，仅摆着一小碟已见底的螃蟹酱，朱红色的酱末把碟子糊得七零八落，这样的穷酸相让余多顺有点不舒服。(テーブルにはご飯の他、底が見える蟹入りのたれの入った小皿だけが並んでいた。朱色のたれで皿は乱雑になっていた。この感じの悪い様子は余多順の気持ちを悪くしてしまった)(林那北〈镜子〉《作家》2014年7月号 P79)

では、“有点儿”は、“舒服(気持ち良い)”という形容詞の否定形式“不舒服(気持ち良くない)”を修飾している。これに対し、“一点儿”は否定命題を修飾できないため、“*这样的穷酸相让余多顺不舒服一点儿(「この感じの悪い様子は余多順の気持ちを悪くしてしまった」の意)”のように、“不舒服(気持ち良くない)”を修飾することができない。しかし、“有点儿”は相対的な状態性と程度性を持つ形容詞・動詞の否定形式を修飾する他に、また、後述のように動詞フレーズや他の文法形式も修飾することができる。それで、否定命題を広く修飾できるという文法的機能が付与されている。この点では、“有点儿”は“一点儿”とは根本的に異なっている。

“有点儿”はまた、形容詞の重ね型を修飾することもできる。たとえば、

(16)韩丁今晚的举动、言语都有点怪怪(*一点儿)的。(韓丁の今夜の挙動は少しおかしかった)(海岩《拿什么拯救你 我的爱人》P207 作家出版社 2001)

(17)～，由于温差的缘故，晚上还有点冷飕飕的(*一点儿)，～。(～、

温度差の関係で、夜は冷え冷えとしていた。〜)(张欣〈有些人你永远不必等〉《2003 中国年度最佳中篇小说》下卷 2004 年 2 月 漓江出版社 P238)

(18)"这是我的外甥。<u>有点</u>傻不愣怔的(*一点儿)。"(「これが私の甥だ。ばかな子だよ」)(肖元生〈去了一层皮〉《人民文学》2000 年第 12 期 P50)

"有点儿"は(16)(17)(18)において、形容詞の AA 式、ABB 式、AXYZ 式の重ね型を修飾し、その状態を描写している。また、"有点儿甜不叽的""有点儿糊里糊涂""有点儿冷冷清清"のように、ABC 式(甜不叽的)、A 里 AB 式(糊里糊涂)、AABB 式(冷冷清清)も修飾することができる。これらの形容詞の重ね型は、その原型に比べて強い状態性を有しているため、様々な状態の形容に用いられている。"有点儿"はこれらの形容詞の重ね型を修飾できるという文法的機能が付与されているという点では、"一点儿"や他の程度副詞と異なっているが、同じ程度の低いことを表わす程度副詞"有些"とも共通している。ただし、"有点儿"はすべての形容詞の重ね型を修飾できるというわけではない。また、その重ね型自体の意味による制限もそれなりに受けている。

たとえば、形容詞によっては、ABAB 式の重ね型と BABA 式の重ね型にもそれが見られる。"舒服舒服(気持ちをよくする)""热闹热闹(賑やかにする)"はそれぞれ、"舒服(気持ちがよい)""热闹(賑やかだ)"の ABAB 式であり、そして、"冰凉冰凉(非常に冷たい)""雪白雪白(真っ白い)"はそれぞれ"冰凉(氷のように冷たい)""雪白(真っ白い)"の BABA 式である。そして ABAB 式の重ね型はプラス的な意味を有する語が殆どであり、試行の意味を含んでいるため、"稍微""略微""多少"とは共起できるが、"有点""有些"とは共起できない。一方、BABA 式の重ね型については、その意味にすでに修飾的要素が含まれている。例えば、"冰凉(氷のように冷たい)"における"冰(氷)"と"雪白(真っ白い)"における"雪"は、それぞれ極限に達する程度を表わしているため、他の程度副詞とも、“有点”“有些”とも共起できない。

また、“有点儿”は“舒服(気持ちよい)”“高兴(嬉しい)”などのような形容詞のAABB式も修飾できない。“舒服(気持ちよい)”“高兴(嬉しい)”などのような形容詞は、プラス的意味を持っていて、AABB式をとると、そのプラス的意味がより一層強調され、その意味に含まれている程度性は“有点儿”の程度性と違っているため、“有点儿”によっては修飾されないのである。ここから考えると、“有点儿”は多くの形容詞の重ね型を修飾できるが、その重ね型に対しては選択性があり、マイナス的意味を持つ形容詞の重ね型でないと修飾できないという文法的性格を持っている。“有点儿”は、低い程度性を修飾し、好ましくない事象を表わす程度副詞だからである。

(19)但我经过这只池子的时候，却看见池子里只有一个我在温泉里泡得已经有点儿昏昏欲睡了，～。(しかし私はこの池を通る時、温泉の中で私だけが湯に浸っていて、うとうとしているという錯覚に陥っていた。～)(起子〈细小病毒〉《2003 中国年度最佳中篇小说》下卷P155 漓江出版社2004)

(20)康赛说小西，今天别出去了，今天陪我坐在家里看雪，好吗？他有点可怜巴巴的。(「小西さん、今日は出掛けないでください。今日は私に付き合って雪を見ませんか」と康賽は言う。彼は少し可哀相な様子だった)(姚鄂梅「像天一样高」《当代》2005年第4期P16)

(21)妻子说，他不干更好，让他走。再不走也得把店给你搅和黄了。我觉得妻子有点夸大其词。(妻は彼は手伝ってくれない方がいいから、彼を返すのよ。じゃないと、店をめちゃくちゃにしてしまうんだからと言った。妻は大げさな言い方だと私は思った)(荆永鸣〈北京候鸟〉《2003 中国年度最佳中篇小说》下卷P94 漓江出版社2004)

“有点儿”は(19)では“昏昏欲睡(うとうとしている)”という複合語を

修飾し、眠気を催してうとうとしている状態を描写している。(20)では、形容詞＋接尾語からなる“可怜巴巴（可哀相なさま）”を修飾し、可哀そうな状態を表わしている。一方、(21)では、“夸大其词（針小棒大に言う）”という四文字の熟語を修飾し、妻が大げさに言っていることを強調している。これらの複合語や四文字の熟語は、いずれも状態の形容に用いられていて、強い状態性を持っている。また、好ましくない事象を表わすことになるため、“有点儿”によって修飾されるのである。これに対し、“一点儿”は、“*昏昏欲睡一点儿（「うとうとする」の意）”“*可怜巴巴一点儿（「可哀相なさま」の意）”“*夸大其词一点儿（「針小棒大に言う」の意）”のように、これらの複合語や熟語を修飾することができない。これらの複合語や熟語は、構成的には後置的修飾を受け入れる可能性は持っていないため、“一点儿”との共起は不可能に近いと考えられる。この点から言うと、これらの複合語や熟語は、構成的にはそれぞれ異なっているものの、その状態性と程度性は“有点儿”によって修飾されることができる。しかし、“一点儿”は状態性と程度性を修飾する文法的機能は持っているが、その構成によって、それらを修飾できないという構成上の制限があるものと言えよう。

また“有点儿”は、「動詞述語＋補語」「動詞述語＋目的語」などの文法構造を修飾することができる。たとえば、

(22) 他说，我是桃花村的。小老板有点反应不过来，眼睛一眨一眨地盯着他。（私は桃花村のものですがと彼は言ったが、若いオーナーは何も反応しないで、目をぱちぱちさせながら彼を見つめていた）（北北〈寻找妻子苦菜花〉《2003 中国年度最佳中篇小说》上巻 P14 漓江出版社 2004）

(23) 整日价被他们围绕着、纠缠着，在他们的怂恿和诱惑之下这样或者那样，富人又会觉得仿佛丧失了自我，仿佛被他们的簇拥遮蔽住了，常常有点儿搞不大清楚了——究竟自己是富人，还是他们是富人？（一日中彼らに取り囲まれたり付きまとわれたりしている。彼

らのそそのかしと誘惑の下、こうなったりそうなったりして、金持ちの人が自分自身を喪失してしまうように私もそんな気分になっていった。そして、彼らに取り囲まれて何も見えなくされてしまったため、一体自分が金持ちなのであるか、それとも彼らが金持ちなのであるか、よく分からなくなっていった）（梁晓声《恐惧》P65 文化艺术出版社 2010）

“有点儿”は(22)(23)では「動詞述語＋補語」という構造を修飾し、好ましくない事象を表わしているという点ではほぼ共通している。これらの肯定形式は“*有点儿反应得过来（「反応できる」の意）”“*有点儿搞得清楚（「よく分かる」の意）”のように高い程度性を持っているため、“有点儿”という低い程度修飾を受け入れることができない。ところが、その否定形式は、好ましくない事象を表わすこともあり、低い程度修飾を受け入れることができる。そのため、“有点儿”は、それらの構造による状態を描写し、その程度性を表わすことができるのである。この点では、“有点儿”は“一点儿”と全く異なっている。“一点儿”はこれらの構造が持つ程度性とは異なり、その肯定形式と否定形式のいずれとも共起することができない。また、「動詞述語＋補語」という構造は構成的にも“一点儿”や他の程度副詞による修飾を受け入れることができない。それで、“有点儿”は“一点儿”や他の程度副詞が持っていない修飾範囲を保有し、状態に対する強い描写の機能を果たすことができるため、独自な意味領域と修飾範囲を保っているのである。

3.3 複合的修飾の場合

3.3.1 “一点儿”

“一点儿”は、「程度副詞＋被修飾語（形容詞/動詞）＋一点儿」という構造をもって、他の程度副詞と共起して、複合的修飾構造を構成できる。つまり、他の程度副詞と呼応する形で、被修飾語を修飾することになる。この場合は、前に用いられる程度副詞の文法的性格によって、この複合的修飾構造は、以下AとBの二つのグループに分類することができる。

A.描写にしか用いられない複合的修飾構造

太+形容詞+一点儿　忒+形容詞+一点儿　过于+形容詞+一点儿

很+動詞+一点儿　颇+動詞+一点儿　比较+形容詞+一点儿

更+形容詞+一点儿　还+形容詞+一点儿　格外+形容詞/動詞+一点儿

B.描写と制御両方に用いられる複合的修飾構造

多+動詞+一点儿　少+動詞+一点儿　特别+動詞+一点儿

再+形容詞/動詞+一点儿　稍微+形容詞/動詞+一点儿

稍+形容詞/動詞+一点儿　略微+形容詞/動詞+一点儿

多少+形容詞/動詞+一点儿

“一点儿”は前述の通り、描写と制御の文法的機能を持っている数量詞として、形容詞や動詞などを修飾し、その状態や動作における少量を描写したり支配したりすることができる。そして、“太”“忒”“过于”“颇”“很”“更”“还”“格外”などの程度副詞と共起する場合は、いずれも状態や動作における少量を描写できるが、その少量の支配はできない。これは、これらの程度副詞が描写性だけを持っていて、制御性を持っていないからである。“一点儿”は主として評価の相対性を表わすのに用いられている。一方、“多”“少”“特别”“稍微”“略微”“多少”などの程度副詞と共起する場合には、状態や動作における少量を描写することもできるし、またその少量を話者の意図によって支配することもできる。これらの程度副詞は状態や動作に対する描写性と制御性を共に有していると考えられる。たとえば、

(24)总编办主任一边把信递给哈总编，一边愤愤地说：这不是踏着死人

的尸体上去吗？也太狠了点。(編集長室の主任は書状を哈編集長に渡しながら、「これは人間の死体を踏んづけて上がるのと一緒じゃないか。ひどすぎるよ」と憤然として言った）(南妮〈人选〉《2003年中国短篇小说精选》P593 长江文艺出版社 2004)

(25) ～，最后，他双手攥住斧把儿，挪动了一下双腿，似乎要站得更稳当一点。(～。最後に、彼は両手で斧の柄を握りしめ、もっとしっかりと立っていられるようにした)(莫言《酒国》P267 作家出版社 2012)

(26) 叉烧黑瘦个儿小，所以得绰号叉烧，他靠捞偏门很发了一点小财，(省略)。(叉焼は皮膚の色が黒く、小柄なので、叉焼という渾名が付けられていた。彼はかなりの財を成していた。～)(张欣〈有些人你永远不必等〉《2003 中国年度最佳中篇小说》下卷 P196 漓江出版社 2004)

“一点儿”は、(24)では“太”と共起して、“狠”という形容詞を修飾し、その過度の様子を相対的に評価している。“一点儿”が使われない場合は、“太狠了(酷過ぎる)”のように、露骨な過度表現となってしまう。そして、“太”は“一点儿”と共起する場合は、過度の様子を相対的に形容できるため、婉曲的な過度表現として、発話者の慎重な態度を示すことができる。また、“一点儿”は“更”と共起する場合も、比較の相対性を表わすことになる。(25)では、断定的な評価を避け、比較によって安定している様子を相対的に評価している。一方、(26)では、“很”と共起し、作った財産の量が少なくないことを婉曲的に示している。ここでは、相対的な評価を表わすのではなく、少量を表わしているだけに過ぎない。“很”はそれ自体に量性を含んでいないため、動詞を修飾する時には量的語句が必要になる。そして、“一点儿”はその量的語句として用いられているのである。

要するに、“一点儿”は、“太”“忒”“过于”“颇”“很”“更”“还”“格外”などの程度副詞と共起する場合は、それぞれ表わされる文法的意味は異なっているが、状態や動作などを描写できるだけに止まって、それを支配できないという点では、共通している。これらの程度副詞は描写性しか有しておらず、制御性が付与されていないからである。そして、“一点儿”は描写性と制御性の両方を有していながら、これらの程度副詞の意味に束縛されているため、描写の機能だけを働かせることになる。

一方、“一点儿”は、“多”“少”“特别”と共起する場合は、“*多好了一点儿(「少し良くなった」の意)”“*少好了一点儿(「少し良くなった」の意)”“*特别好了一点儿(「少し良くなった」の意)”のように、形容詞を修飾することはできないが、動詞に対しては修飾することができる。しかも、ある動作を描写することも、支配することもできる。そして、“再”“稍微”“稍”“略微”“多少”などの程度副詞と共起する場合は、形容詞と動詞のいずれも修飾し、状態や動作に対する描写の機能と制御の機能のいずれも果たすことができる。たとえば、

(27) 老刘只得安排老李活儿。老刘对鬼子说：“你跟你师傅一起干吧，多照顾他点儿。”(劉さんは仕方がなく李さんに仕事を割り振りした。そして劉さんは鬼子に対し、「あなたは師匠さんと一緒にやりなさい。よく面倒を見てあげてね」と言った)(楚荷〈苦木谏树〉《当代》2005 年第 2 期 P29 人民文学出版社)

(28) 平头抬腕看看表，说：“现在去见他们，还稍微早了点。”(角狩りの人は腕を上げて時計を見た。そして、「今彼らに会いに行くのはちょっと早い」と言った)(莫言《酒国》P20 作家出版社 2012)

(29) 光圈 8，百分之一秒，他略懂一点摄影，但它们大学毕业距今已经六年，百分之一秒，你能看出什么？(絞り 8 で、百分の一秒、彼は少し撮影が分かっていたが、大学を出てからすでに六年も経っているので、百分の一秒ということがあなたには何か分かるの)(朱辉〈和辛夷在一起的星期三〉《人民文学》2002 年第 5 期 P42)

(30) 直到赵玮问她：“再喝点儿酒吗？”满瑛才悚然一惊：晚了，已经太

晚了。(「もっと飲まないか」と趙瑋に言われると、満瑛は恐れてぞっとした。遅いよ。もう遅いじゃないか)(王芫〈满瑛选择的生活〉《人民文学》2002年第5期P96)

“一点儿”は、(27)では“多”と共起し、できるだけ穏便に配慮するよう依頼したり勧誘したりすることを表わしている。“多”は量が多いことを強調できるが、露骨なイメージが抜けず、単刀直入な言い方になってしまう。その言い方を避けるため、“一点儿”と共起する必要がある。“一点儿”はここで、依頼表現や勧誘表現を作り、露骨なイメージを無くすと共に、配慮を依頼したり勧誘したりすることを相対的に示している。

“一点儿”は、“稍微”“略微”“多少”などと共起する場合は、“稍微吃一点儿”“略微喝一点儿”“多少看一点儿”などのように、動作における少量を表わすことができるだけでなく、また、命令表現・依頼表現・意志表現・勧誘表現なども作ることができる。(28)では予定時刻より少し早いことを強調している。ここで注意すべきは、“一点儿”が用いられないと、“稍微”“略微”“多少”が文法的機能を果たせないということである。“一点儿”は“稍微”“略微”“多少”の文法的機能の発揮に必須な共起語句だからである。この点は上述の程度副詞と大きく違っている。

一方、“再”は、“稍微”“略微”“多少”とは逆になっている。そのままでも、“再吃一点儿(もっと食べる)”“再喝一点儿(もっと飲む)”“再看一点儿(もっと見る)”のように用いることもできるし、また、“再稍微吃一点儿(もう少し食べる)”“再略微喝一点儿(もう少し飲む)”“再多少看一点儿(もう少し見る)”“再多吃一点儿(もう少し多めに食べる)”“再少吃一点儿(もう少し少なめに食べる)”などのように、他の程度副詞との共起も許容されている。そのため、“再”はそのままでも、他の程度副詞と共起しても、その文法的機能を果たすことができる。他の程度副詞の受けている束縛をあまり受けないと言える。

“一点儿”は、制御性を有する程度副詞と共起する場合は、それ自体の制御性を働かせることができるが、制御性を有していない程度副詞と共起する場合は、それ自体の制御性を遮断されてしまい、文法的には働かせることができない。このことから、“一点儿”の文法的機能は共起する程度副詞によって喚起されたり遮断されたりすることになると考えられる。そして、複合的修飾の場合は、修飾構造の中で補助的な役割を果たすだけであり、決定的な要素とはならない。

3.3.2 “有点儿”

“有点儿”は、他の程度副詞と共起して、複合的な修飾構造を作ることができるという点では、“一点儿”と共通しているが、どの種類の程度副詞と共起しても描写の機能だけしか発揮することができないという点では、“一点儿”と違っている。

“有点儿”は、“极”“太”“忒”“颇”“很”“更”“还”“比较”“格外”“稍微”“稍”“稍稍”“略略”“略”“多少”などの程度副詞と共起して、それぞれ以下のような複合的な修飾構造を構成することができる。そして、程度副詞の意味によって、その修飾構造は、二つのグループに大別することができる。一つ目は高い程度と低い程度の融合による修飾構造である。もう一つは少量と低い程度の融合による修飾構造である。

Ⅰ、高い程度と低い程度の融合による修飾構造

太＋有点儿＋形容詞　　忒＋有点儿＋形容詞　　极＋有点儿＋形容詞
颇＋有点儿＋形容詞　　甚＋有点儿＋形容詞　　很＋有点儿＋形容詞
更＋有点儿＋形容詞　　还＋有点儿＋形容詞　　比较＋有点儿＋形容詞
格外＋有点儿＋形容詞

Ⅱ、少量と低程度の融合による修飾構造

稍微＋有点儿＋形容詞　稍＋有点儿＋形容詞　稍稍＋有点儿＋形容詞
略微＋有点儿＋形容詞　略＋有点儿＋形容詞　多少＋有点儿＋形容詞

この中で、“有点儿”はそれぞれの程度副詞の後に来て、後置的な程度副詞として用いられている。

程度副詞の共起の目的は二つの全く異なった程度性、あるいは二つの近似した程度性を調節し、発話者の程度評価への慎重性・多様性及び話者の希望する修辞的効果を求めることになる。高い程度と低い程度の融合による修飾構造は、発話者の相対的に主観的な程度評価形式として、主に婉曲的な程度表現に用いることになる。そして、少量と低程度の融合による修飾構造は、発話者の慎重な程度評価形式として、微小な程度表現に用いることになる。たとえば、

(31) 话已经说到这份儿上，隋志高仍不为所动，说忙，回不去。见隋志高总是回绝，老歪颇有点怨，话里话外流露出嫌隋志高要大牌、不给面子的意思。(話はもうここまで来ていたのに、隋志高は感動させられなかった。忙しくて帰れないと言った。隋志高がいつも断わるのを見て老歪は少し恨みを持って、態度が高慢で顔を立ててくれなかったことへの嫌みを話の中で仄めかしていた)(徐坤〈年轻的朋友来相会〉《2003 中国年度最佳中篇小说》上卷 P22 漓江出版社 2004)

(32) 多少有点不自在。第二天是周末，肖处华带我到沙市办事，～。(私は少し不自由な気になっていった。翌日は週末で、肖処華は私を連れて沙市へ用を済ませに行ってくれた)(李约热〈戈达尔活在我们中间〉《2004 年中国年度中篇小说(下)》P395 漓江出版社 2005)

“有点儿”は、(31)ではそれぞれ“颇”と共起して、“怨”という形容詞を修飾している。“颇有点儿”は無駄な努力をしてばかを見たという状態の甚大な程度性を婉曲的に表現している。この用法は甚大な程度性に対する婉曲的な表現形式として書き言葉に多用されているが、話し言葉にはあまり用いられない。

“有点儿”は、(32)では“多少”と共起し、“多少有点儿”の形で、“不自在”という形容詞の否定形式を修飾している。“稍稍有点儿”は、書き言葉として慎重な程度評価に用いられ、状態における少量を表わしている。“多少有点儿”は話し言葉にも書き言葉にも用いられ、好ましくない傾向を具有することを表わし、確定的な意味を持たされることはあまりない。

ここで注意してほしいのは、“稍微”“稍稍”“略微”“多少”などの程度副詞は、いずれも描写性と制御性を有する程度副詞であるが、“有点儿”と共起する場合は、描写の機能しか果たすことができないので、その制御の機能は発揮することができないということである。そして“有点儿”には、制御性が付与されておらず、動作・行為などを表わす動詞を修飾できないからである。

“太”“忒”はいずれも承前性と承後性を有しているため、“太＋有点儿＋形容詞”“忒＋有点儿＋形容詞”という複合的な修飾構造にも、“有点儿＋太＋形容詞”“有点儿＋忒＋形容詞”という複合的な修飾構造にも用いることができる。たとえば、

(33) 相比较，我感到我们家里太有点儿杂乱无章，……。(比べると、私達の家の中はあまりにも乱雑になっている気がしていて、～)(叶广芩〈广岛故事〉《2003 中国年度最佳中篇小说》上卷 P278 漓江出版社 2004)

(34) 妈妈谁没有格外长出爱干净的习惯，以礼待人的教养，但她长出了治家过日子的意识，和一万块钱相比，和一座房子相比，干净和教养还是有点太虚了嘛！(母として誰もが身につけている綺麗好きな習慣や礼儀面で人に接する教養は付いていなかったのか。しかし、一家を治めて暮らす意識はあった。1万元と比べて、1棟の家屋と比べて、清潔さや教養はちょっとした見かけだけのものじゃないか)(北北〈寻找妻子苦菜花〉《2003 中国年度最佳中篇小说》上卷 P62 漓江出版社 2004)

“有点儿”は、(33)では前置的程度副詞として“太”と共起し、過度の状態に対する婉曲的な表現形式として用いられ、相対的に主観的な評価を示している。やや硬い感じはあるものの、話し言葉にも使用される。(34)では後置的程度副詞として“太”と共起し、客観的な基準で事象を評価し、過度を婉曲的に強調している。この二つの複合的な修飾構造は、いずれも婉曲的な過度表現に用いることができるが、評価の立場を異にしている。前置的程度副詞にも後置的程度副詞にも使用し、状態に対する描写性を有しているという点では、“有点儿”は“一点儿”と大きく異なっている。

“一点儿”は、単独で用いられる場合であっても、程度副詞と共起する場合であっても、“今天比昨天(更)冷一点儿(今日は昨日よりもっと寒い)”“今天比昨天(稍微)冷一点儿(今日は昨日より少し寒い)”などのように、特定的比較に用いることができるため、複合的な修飾構造を構成する場合は、その文法的機能は遮断されることはなく、果たすことができる。また、動詞を修飾する場合には制御修飾の機能も保たれている。それに対し、“有点儿”は単独で用いられる場合であっても、他の程度副詞と共起する場合であっても、“*今天比昨天有点太冷(「今日は昨日より少し寒い」の意)”“*今天比昨天稍微有点冷(「今日は昨日より少し寒い」の意)”のように、特定的比較には用いることができず、また、“*有点儿吃(「少し食べる」の意)”“*稍微有点儿吃(「少し食べる」の意)”のように、制御修飾の機能が付与されていない上に、他の程度副詞の有している制御修飾の機能を遮断することになる。

4. まとめ

“一点儿”と“有点儿”は、形容詞を修飾し、肯定命題の状態を修飾し、低い程度性や少量などを表現できるという点では、共通しているが、特定的比較に用いられるかどうか、状態だけを表現するか、状態や動作を支配できるかどうか、そして、複合的な修飾構造を構成する場合は、制御修飾の機能を保てるかどうか、否定命題を修飾できるかどうかなどの点では、両語は異なっている。

“一点儿”は肯定命題の状態や動作を修飾し、その少量を描写することも支配することもできる。状態に対しては、特定的比較にも用いることができて、相対的な評価を表わしている。複合的な修飾構造を構成する場合にも、程度副詞により、その制御修飾の機能も果たすことができる。静的状態と動的状態のいずれも表現できるのがその文法的特徴である。しかし、その文法的機能は、肯定命題においてしか有効性がなく、否定命題においてはその効力を失うことになる。

“有点儿”は肯定命題と否定命題のいずれも修飾し、肯定の程度性と否定の程度性を表現することができる。状態に対しては、強い描写性を有しており、動詞フレーズや各種の文法的構造や四文字の熟語なども修飾できる。しかし、動作に対しては描写することも、支配することもできないため、動的状態を修飾できない。また、他の程度副詞と複合的な修飾構造を構成する場合も、静的状態を捉えるだけに止まり、他の程度副詞の持つ動作修飾の機能や制御修飾の機能を失わせることになる。

注

1) 中国語の祈使文は日本語の命令文・依頼文などに相当するものである。

2) 出典を示さぬ例文は作例である。以下同じ。

3) 中国語文の日本語訳は筆者によるものである。以下同じ。

4) 作例の成立の可否は筆者の語感によるものである。以下同じ。

5) 紙幅の都合上、作例を一々挙げないことをお断りしておく。

参考文献

程美珍(1988)〈受“有点儿”修饰的词语的褒贬义〉《世界汉语教学》第三期

李宇凤(2007)〈程度副词句法语用特点的调查研究〉《汉语学习》第 2 期

李宇明(2000)《汉语量范畴研究》华中师范大学出版社

吕叔湘主编(1984)《现代汉语八百词》商务印书馆

马庆株(1992)《汉语动词和动词性结构》北京语言学院出版社
马真(1989)〈说副词“有点儿”〉《世界汉语教学》第四期
时卫国(1998)〈“有点”与形容词重叠形〉《河北大学学报》第二期
時衛国(2009)『中国語と日本語における程度副詞の対照研究』風間書房
時衛国(2011)『中国語の程度表現の体系的研究』白帝社
時衛国(2012)『中国語の量的修飾構造の研究』好文出版
時衛国(2017)『中国語の低程度修飾の研究』愛知教育大学出版社
時衛国(2019)『中国語の少量と低程度表現の対照研究』愛知教育大学出版社
史彤嵐(2008)『动作行为形状与结果的表达方式研究』好文出版
王聡(1993)〈关于“有点儿”修饰动词结构及其他〉『桜美林大学中国語文学論叢』18号
袁毓林(1993)《现代汉语祈使句研究》北京大学出版社
张国宪(2006)《现代汉语形容词功能与认知研究》商务印书馆
张谊生(2000)《现代汉语副词研究》学林出版社
朱德熙(1982)《语法讲义》商务印书馆

中国語テキストにおける「“把”構文」の中の副詞の位置について

—副詞“都”を中心に

Concerning the Position of the Adverb of the *Ba*-construction in Chinese Textbook—Focusing on the Adverb *“Dou”*

小路口　ゆみ
KOJIGUCHI Yumi

提要

对外汉语教学中的“‘把’字句”作为难点，而且汉语教材里对“把”的宾语的限制，句子中动词的特点，还有动词之后部分的成分等给与一些说明，有些教材对副词、能愿动词的位置也做出解释，这其中有“副词、能愿动词放在‘把’之前”这样的说明。而实际上，副词“都”、“也”不但可以放在“把”之前，也可以放在“把”之后，本文通过对清末的几部北京官话教材里“把字句”的副词以及现代对外汉语课本里“把字句”的副词的位置的教学进行调查，来阐明“‘把’字句”里副词“都”、“也”的位置的重要性，有助于学习汉语的外国学生更好地理解“把字句”，更自由地使用“‘把’字句”。

キーワード:「“把”構文」　副詞　位置　後置型　“都”

目次

1. はじめに
2. 「“把”構文」中の副詞についての先行研究
3. 「“把”構文」における副詞“都”の位置について

4. 清末北京官話テキストにおける「“把”構文」の副詞について
5. おわりに

1. はじめに

「“把”構文」を対象言語に翻訳すると、対象言語の能動文と同様の翻訳になるので、外国人にとって、非常に学習の難しいところである。以下の例(1)を見てみよう。

(1)＊往电饭锅里放入都材料、日本酒、鸡精、盐和胡椒。

これは学生が作った料理の手順の文であるが、非文である。その日本語訳は、「材料、日本酒、鶏がらスープ、塩、胡椒を全て炊飯器に入れる。」である。この中の“都”は「材料、日本酒、鶏がらスープ、塩、胡椒」の全てである。だから、この文は「“把”構文」を使い、例（2）のようになるだろう。

(2)把材料、日本酒、鸡精、盐和胡椒都放入电饭锅里。

「“把”構文」の文構造は「名詞$_1$＋“把”＋名詞$_2$＋動詞＋その他」(略記 N_1＋“把”＋N_2＋V＋その他」であり、中国語の初級テキストでは、その内、「“把”構文」の賓語「名詞$_2$」についての制限、「動詞」の特徴、動詞の後の「その他」などについての説明がある。「“把”構文」における副詞・能願動詞の位置について説明するテキストもあるが、“副词、能愿动词放在‘把’之前”というような説明が一般的である。しかしながら、実際には、範囲を表す副詞“都”は“把”の前に置かれる場合もあるし、“把”の後・動詞の前に置かれる場合もある。本稿では範囲を表す副詞“都”のみ分析する。

本稿では、清末の北京官話のテキストにおける「“把”構文」の中の副詞

“都”の位置と現代中国語のテキストにおける「“把”構文」の中の副詞“都”の位置について調査・分析する。「“把”構文」における副詞の位置は二通りある。本稿では、副詞が“把”の前に置かれる場合を前置型と言い、“把”の後・動詞の前に置かれる場合を後置型という。その位置により、その文の意味も異なる。

(3)a.我们把孩子们都送走。[1)]（加藤晴子 1995:91）
　私たちは子供たちを全員見送ります。（筆者訳）
b.⇨≠ 我们都把孩子们送走。（加藤晴子 1995:91）
　私たち全員は子供たちを見送ります。（筆者訳）

例（3）a.は後置型であり、“都”は“孩子们”全員を指し、例（3）bは前置型であり、“都”は“我们”全員を指す。“孩子们”全員を表したい場合は、「“把”構文」を使うしかないので、それが「“把”構文」の存在する理由の一つでもある。

「“把”構文」の副詞“都”の位置によって、文意が異なってくるので非常に重要である。その重要性を述べることによって、中国語を勉強する外国人に「“把”構文」をより分かり易く理解させることができ、「“把”構文」を使いこなすために役立てられる。

2.「“把”構文」中の副詞についての先行研究

2.1“把”構文における副詞の位置について

“把”構文における副詞の位置について、各文法学者は以下のように述べている。

2.1.1『現代中国語文法総覧』　刘月华 潘文娱 故韡 著（1991：623～641）相原茂　監訳　片山博美　守屋宏則　平井和之　共訳

刘月华など（1991：635）は、“把”構文の“把”と副詞の位置関係について、接続の働きをする副詞、及び否定または反復を表す副詞については、接続の働きをする副詞は、一般的に普通“把”の前に置く。否定副詞は普通“把”の前に置き、ある種の慣用表現においては否定の副詞を“把”の目的語の後に置くことができる。反復を表す副詞“再”、“又”、及びその他いくつの副詞は“把”の前に置くこともでき、“把”の目的語の後に置くこともできると主張している。

2.1.2 〈状语的意义和状语在“把”字句中的位置〉『中国語学』　加藤晴子（1995:88～95）

加藤晴子（1995：88～95）[2]は以下のように述べている。

①語気を表す状況語は［“把”の前］にしか置かない。②関連の役割を持つ状況語は［“把”の前］にしか置かない。③否定を表す状況語は［“把”の前］にしか置かない。④時間を表す状況語は大部分［“把”の前］にしか置かない。⑤動作方式を表す状況語は二種類に分ける。一つ目は、［“把”の前］にしか置かない。二つ目は、［“把”の前］でも［“把”の前］でも置くことができる。⑥範囲を表す状況語は“把”の前に置く場合もあるし、“把”の後に置く場合もある。しかし同じ文の中で、“把”の位置が変わると、文として成立できない、あるいは文の意味が変わってしまう。その理由は状況語が制限される部分の後に置かれているからである。

(4) 这种态度使他只顾自己的生活，把一切祸患灾难都放在脑后。

（加藤晴子 1995:91）

このような態度は彼に自分の生活だけを考えさせ、あらゆる災難をすべて後回しさせている。　（筆者訳）

⇨*这种态度使他只顾自己的生活，都把一切祸患灾难放在脑后。

（加藤晴子 1995:91）

(5) 我们把孩子们都送走，〈总括“孩子们”〉(前例３)

⇨≠ 我们都把孩子们送走，〈总括“我们”〉（前例３）

⑦重複を表す状況語は、二種類に分けることができる。一つ目は、[“把”の前]に置く場合もあるし、[“把”の後]に置く場合もある。しかも、同じ文の中でも副詞の位置を変わることができる。二つ目は、[“把”の後]しか置かない。

加藤晴子（1995:88～95）は、状況語の位置について、詳しく分析して、素晴らしい結果を挙げられているが、まだ不十分なところがある。

2.1.3 『誤用から学ぶ中国語』　郭春貴　著（2001：216～227）

郭春貴（2001）は、「“把”は介詞ですが、助動詞、副詞、否定副詞は介詞の前に置かなければなりません。一部の副詞はたまに動詞の前に置けますが、ほんの少数なので、あまり気にしなくてもよろしいです。（中略）この副詞“都”は普通“把”の前に置きますが、もし目的語の範囲を示すならば、動詞の直前に置くこともできます。」と主張している。

（6）我把那些资料都复印了。　（郭春貴 2001：225）
　　あの資料を全部コピーした。　（同上）

2.1.4 《汉语的结构和句子研究》 杨德峰 著（2004：136～149）

杨德峰(2004)[3] は、“把”構文における副詞の位置について、以下のように述べている。①時間を表す副詞は、一般的に“把”の前に置き、たまに動詞の前に置く場合もある。②範囲を表す副詞は、三種類に大別できる。A.総括を表す副詞、“把”の前に置く場合もあるし、動詞の前に置く場合もある。B.制限性範囲を表す副詞、“把”の前にしか置かない。C.動作の一致性の範囲を表す副詞、“把”の前でも、動詞の前でも置くことができるが、意味は異なる。③重複を表す副詞、“把”の前でも、動詞の前でも置くことができ、基本的に意味も変わらない。④頻度を表す副詞、一般的に“把”の前に置く。⑤語気を表す副詞、一般的に“把”の前に置く。⑥関連副詞。

“把”の前にしか置かない。⑦状態を表す副詞、“把”の前にしか置かないものと“把”の前でも“把”の後・動詞の前でも置くものの二種類がある。⑧肯定・否定を表す副詞、“把”の前にしか置かない。⑨程度を表す副詞、一つ目は、程度の深い及び深くなるを表す副詞、例えば、“更”等，“把”の前にしか置かない。二つ目は、浅い程度を表す副詞は、“有点儿”を除いて、一般的には動詞の前に置く。⑩類似を表す副詞“也”は、“把”前でも、“把”の後・動詞の前にでも置き、しかし表す意味は異なる。

2.2 中国語テキストにおける「“把”構文」中の副詞について

中国語テキストにおける「“把”構文」中の副詞について、考察を行った。

2.2.1 康玉华・来思平 2006『中国語会話 301』下（新訳第 3 版）

康玉华・来思平（2006：141～142）は、「“把”構文」における“把”の賓語、動詞及び動詞の後のその他の部分について、説明をしている。また、同氏（2006：186）は、「“把”構文」における能願動詞の位置について、すべての能願動詞は前置詞「把」の前に置くと説明している。さらに、同氏（2006：205）は、「把」構文の否定形は「把」の前に、否定副詞「不」あるいは「没有」を入れて作ると説明している。その上、時間を表す連用修飾語があれば、それを「把」の前に置かなければならないと述べている。

しかしながら、副詞“都”の位置については、説明をしていない。

2.2.2 邱军・彭志平 2008《成功之路》顺利篇 2

邱军・彭志平（2008：124）は、副詞などの位置について、次のように述べている。“副词、能愿动词或表示时间的状语，必须放在“把”的前边，不能放在动词前边”。(副詞、能願動詞あるいは時間を表す状況語は、必ず“把”の前に置かれ、動詞の前に置いてはいけない。筆者訳)

この中の副詞には“都”が含められると考えられる。

2.2.3 马箭飞主编，苏英霞，翟艳编著 罗京莉译 2007《汉语口语速成》下

马箭飞・苏英霞・翟艳（2007：146）は、“否定副词、能愿动词或表示时间的状语，必须放在“把”的前边，例如：我还没把这张表送到办公室。”（日本語訳：否定の意を表す副詞、能願動詞あるいは時間を表す連用修飾語を必ず「把」の前に置く。）と述べている。

马氏らは否定の意を表す副詞“不”、“没”のみを述べているが、副詞“都”についての説明はしていない。

3. 「“把”構文」における副詞“都”の位置について

先行研究によれば、「“把”構文」の中に用いる“都”は、“把”の前後に用いられていると主張している。“把”の前に用いるとの指摘には（郭春貴2001：217～227、杨德峰2004：136）があり、「“把”＋客体」の後、動詞の前に用いるという指摘には（刘月华など1991：623～641、郭春貴2001：217～227、杨德峰2004：136）がある。その理由については、「統括」、「範囲」、「語義指向」などの観点から論じられているが、小路口（2015：91～102）は、「“把”構文」における副詞“都”の位置について、以下のように理解する。

3.1 前置型の場合

本節において、前置型の“都”について分析する。以下の例（7）、(8)を見てみよう。

(7)我们虽然有时开些没分寸的玩笑，但心里都把爱情看得纯洁、神圣。（《插队》）

われわれは時に度の過ぎた冗談を言うことはあるが、心の中では愛情を純潔で神聖なものと考えていた。（『大地』）

(8)夏天的晚上，邻居们在院子里乘凉。香茶、团扇，徐徐的晚风，明亮的星星，有趣的新闻，海阔天空的闲扯，都不能把这对“书呆子”从

闷热的小屋里吸引出来。(《中年》)
夏の夜に隣家の人びとは庭に出て、夕涼みをする。お茶を入れ、団扇を使い、そよ風に吹かれ、星を仰いで世間話にうつつをぬかす。こういった風情も、このカップルの「本の虫」を、蒸し暑い部屋の中から外に引き出すことはできなかった。　(『人』)

［表 1］例（8）の「同一出来事」の説明

名詞$_1$	「同一出来事」[4]（「変化のむすびつき」）
“香茶”	不能把这对“书呆子“从闷热的小屋里吸引出来
“团扇”	
……	
“海阔天空的闲扯”	

例（7）の「名詞$_1$」である“我们”の「同一出来事」は核「変化のむすびつき」である“把爱情看得纯洁、神圣”である、高橋（2006：175～176）によれば、副詞“都”は出来事が「同一」であることを表すことができる。よって、副詞“都”はその「同一出来事」の前に用いられている。同様に、上記の[表 1]のように、例（8）の中における出来事は「変化のむすびつき」である“把这对‘书呆子’从闷热的小屋里吸引出来。”であり、否定副詞と能願動詞はこの「変化のむすびつき」の核の前に置く。“不能把这对“书呆子“从闷热的小屋里吸引出来”は“香茶”と“团扇”と“徐徐的晚风”と“明亮的星星”と“有趣的新闻”と“海阔天空的闲扯”それぞれの「同一出来事」であり、副詞“都”はこの「同一出来事」の前に用いられているが、中国語の一般的である。

3.2 後置型の場合

本節において、後置型の“都”について分析する。以下の例（9）、（10）

を見てみよう。

(9) 他歪着头比划，把周围的人都看一遍。(《插队》)
彼は頭を傾けて手でそれを示して周囲の人々にひと渡り見た。
(『大地』)

(10) 他立刻跑到银行把几年来存下的几百元钱全都[5]取了出来。
(刘月华など 1991 : 627)
銀行まで走っていき、この何年かの間に貯めた何百元かの金を残らずおろしてしまった。　(刘月华など 1991 : 627)

例（9）の「名詞$_1$」である“他”の出来事は“看（周围的人）”であり、“周围的人”は一人ではない。よって、“看周围的人 A”、“看周围的人 B”などの「同一出来事」は““看（周围的人）”であり、副詞“都”は「同一出来事」“看（周围的人）”の前に用いられる（以下の[表 2]参照)。

［表 2］例（9）の「同一出来事」の説明

名詞$_1$	「同一出来事」	
“他”	“看”	(“周围的人”) A B …

同様に、例（10）の「同一出来事」は“取了出来（几年来存下的几百元钱)”である。よって、これらの「“把”構文」の中の副詞“都”は動詞 “取了出来”の前に用いられる。

3.3 副詞“都”の位置の互換条件及び互換後の差異について

副詞“都”が用いられる「“把”構文」の構造は以下の三種類がある。

（ｉ）名詞$_1$（複数・多数）＋“把”＋名詞$_2$（単数）＋動詞＋その他
（ii）名詞$_1$（単数）＋“把”＋名詞$_2$（複数・多数）＋動詞＋その他
（iii）名詞$_1$（複数・多数）＋“把”＋名詞$_2$（複数・多数）＋動詞＋その他

（ｉ)類目は「名詞$_1$（複数・多数）＋“把”＋名詞$_2$（単数）＋動詞＋その他」（例 11）であり、副詞“都”は前置型である。（ii）類目は「名詞$_1$（単数）＋“把”＋名詞$_2$（複数・多数）＋動詞＋その他」（例 12）であり、副詞“都”は後置型である。（iii）類目は「名詞$_1$（複数・多数）＋“把”＋名詞$_2$（複数・多数）＋動詞＋その他」（例 13）であり、副詞“都”は前置型でもあり、後置型もある。（ｉ)類目と（ii）類目の場合、副詞“都”の位置は互換できないが、（iii）類目の場合はできる。例（13）a と（13）b のように、副詞“都”は“把”の直前にも置くことができるし、“把”の後の動詞の直前にも置くことができる。

(11) 张大爷已经快七十了，可大家都把他当五十多岁的人。
（加藤晴子 1995:91）
張おじさんはもう 70 歳になったけど、みんな全員が 50 代の人だと見なしている。（筆者訳）
⇨*张大爷已经快七十了，可大家把他都当五十多岁的人。
（加藤晴子 1995:91）

(12) 那时候，工宣队为了让大家都去，就把该去的地方都宣传得像二等天堂。（《插队》）
あの頃労働者宣伝隊はみんなを農村へ行かせるために行くべき場所を第二の天国のように宣伝した。（『大地』）
⇨*那时候，工宣队为了让大家都去，就都把该去的地方宣传得像二等天堂。（《插队》）

(13)a. 娃娃们都把大碗举向半空。　　　　（《插队》）

子どもたちみんなはどんぶりを高く持ち上げる。（筆者訳[6)]）

b. 娃娃们把大碗都举向半空。　　　　（作例）

子どもたちは全てのどんぶりを高く持ち上げる。（筆者訳）

例（13）は「名詞$_1$」である“娃娃们”と「名詞$_2$」である“大碗”が一対一の関係ではない。例（13）a と b は副詞“都”の位置は互換できるが、互換前後で文の意味が変わってしまう。

一方、以下の例（14）を見てみよう。

(14)a. 小彬吃出一块糖来，女生们都笑眯眯地把目光投向他，说吃着了的有福。（《插队》）

小彬が食べた餃子の中に砂糖のかけらが入っていたので、女子連中は縁起がいいと言ってにこにこしながら彼を眺めていた。（『大地』）

b. 小彬吃出一块糖来，女生们笑眯眯地把目光都投向他，说吃着了的有福。（作例）（訳文同上）

例(14) の「名詞$_1$」である“女生们”と「名詞$_2$」である“目光”は一対一の関係であり、例（14）a と例（14）b との意味は基本的に同じである。

要するに、「“把”構文」である「N_1＋“把”＋N_2＋V＋その他」のN_1とN_2は一対一関係でない場合、副詞“都”の位置によって、文意は違ってくる。また、N_2の全員を強調したい場合は、その“都”は「“把”＋名詞$_2$（N_2）」の後・動詞の前に置くのが一般的である。

4. 清末北京官話テキストにおける「“把”構文」の副詞について

清末北京官話テキストの代表として、『語言自邇集』初版[7)]（1867 年）、

『北京官話伊蘇普喩言』（以下『伊蘇普喩言』と略称）[8]（1878年）、『官話指南』[9]（1881年）、『北京官話今古奇観』（以下『今古奇観』と略称）（1904、1911年）[10] であり、その中の「“把”構文」の副詞“都”の位置について、考察・分析してみた。その結果は、以下[表3]のように示される。

［表3］「“把”構文」における副詞“都”の位置

副詞“都”	例文の数	前置型	後置型
『語言自邇集』初版（1867年）	9例	0例	9例
『伊蘇普喩言』（1878年）	17例	1例	16例
『官話指南』（1881年）	38例	2例	36例
『今古奇観』（1904、1911年）	57例	2例	55例

(15)地方官趕著賞了些米，把要逃的百姓都留住了。

（『語言自邇集』3:55[11]）

地方の官吏は急いでに米を下賜し、逃げようとした庶民を全て留まらせた。　　（筆者訳）

(16)娘啊，是一個四條腿的牲口，他把大夥兒都踹扁了。

（『伊蘇普喩言』26）[12]

ヤア阿嬢。それはマア四足のある大な獣だが。それが同気をふみつぶしました。（渡部：49）

(17)那麼你現在把吳老爺的跟班的找過來，把這屋裏的事都交代明白他。（『官話指南』3-13-69）[13]

それではおまへは今直に呉様の處の従僕を連れて来て、この部屋のことを、皆な分るやうに彼に引き継ぎ（以下略）（呉：169）

(18)房德就在那打躺下的人裡頭了，就拿繩子把他們都捆上了，赶到天亮，就把他們送到府尹衙門裏頭去了。『今古奇観』〈李〉：17）[14]

房徳は倒れた人の中に居て、彼らを全員ロープで縛って、明るく

なると、彼らを府尹衙門に送った。(筆者訳)

[表 3]で示しているように“都”の位置は後置型である場合が非常に多いことが明らかになった。例(15)の“地方官”が“要逃的百姓”を全員“留住”であれば、“都”の位置は“把+N_2”の後、動詞の前に用いるしかない。同様に、例(16)の客体である“大夥児”の全員、例(17)の“這屋裏的事”の全部、例(18)の“他們”の全員を強調したい場合、副詞“都”の位置は“把+N_2”の後、動詞の前に用いるしかない。よって、副詞“都”が“把+N_2”の後、動詞の前に置かれることは「“把”構文」が存在する理由の一つだと思われる。

5. おわりに

“把”構文における“都”の位置について、“都”は前提が複数を表すので、“都”を用いる場合は前提が同一出来事の前になければならない。例えば、“他是大学生。他也是大学生。他们都是大学生。”　主語と“把”の客体が複数であれば、“都”は前置も後置も可能だが、意味が異なってくる。主語と“把”の客体がのうち、どちらか一方が複数でなければ、複数を表す語句のほうにしか用いることができない。

中国語テキストにおける「“把”構文」の副詞の位置について、「“把”の前に置く」という説明が一般的である。しかし、清末四つの北京官話テキストにおける「“把”構文」の中の副詞“都”の位置を調査した結果、副詞“都”の位置は非常に後置型が多いことが分かった。しかし、副詞“都”の前置型と後置型により、文意が変わってくることから、一般には「“把”の客体」の全部という意味を表現したいときは、後置型しかない。よって、現代中国語テキストの説明の中にも副詞“都”は後置型であると示すべきだと筆者は思う。

注

1) 原文では「,」であり、筆者は「。」と改めて書いたものである。

2) 加藤晴子（1995）は以下のように述べている。

①表示语气的状语，只能出现在[“把”前]。例：盼来盼去，总算把这一天盼到了。②具有关联作用的状语，只能出现在[“把”前]。例：小水连着又打两枪，才把他打死了。③表示否定的状语，只能出现在[“把”前]。例：别把犯人跑了。④表示时间的状语，大部分只能出现在[“把”前]。例：我早就把他看透了。⑤表示动作方式的状语，有两小类：第一小类只能出现在[“把”前]，不能出现在[“把”后]；例：甲觉得不合适，连忙进行解释，好容易把这个漏洞支吾过去。第二小类既能出现在[“把”前]又能出现在[“把”前后]，而在同一句里可以改位。例：有时为了获得舞台上的效果，突然地把音调提高。⑥表示范围的状语，有时出现在[“把”前]，有时出现在[“把”后]。但它们在同一句子里改变位置以后，句子或不能成立或疑似会发生改变。这是因为它们出现在所限制范围的对象之后。例：A 这种态度使他只顾自己的生活，把一切祸患灾难都放在脑后。（加藤晴子 1995:91）⇨*B 这种态度使他只顾自己的生活，都把一切祸患灾难放在脑后。（加藤晴子 1995:91）例：A 我们把孩子们都送走，〈总括“孩子们”〉⇨≠B 我们都把孩子们送走，〈总括“我们”〉

⑦表示重复的状语，有两小类：第一小类既可以出现在[“把”前]，又可以出现在[“把”后]，也可以同一句里改变位置。最常见的是“又”；例：他把剪子又落在里头了。第二小类只能出现在[“把”后]。例：不然，把本来破了的再摔一下。

3) 杨德峰(2004)は、“把”構文における副詞の位置について、以下のように述べている。

①表示时间的副词，如“已经、一直、一下子、总…”等，一般放在“把”字的前面。但是有时候也可以放在动词的前面。②表示范围的副词。A 表示总括范围副词。有两种情况，一种是放在“把”字的前面，一种是放在动词的前面。B 表示限制性范围的副词。只能放在“把”字的前面。C 表示行动一致性的范围副词。既能放在“把”字前面，又能放在动词前面。不过放在“把”字前面和放在动词前，语义有很大不同。③表示重复的副词。一般既可以放在“把”

字前面，也可以放在动词的前面。而且基本意思不变。④表示频率的副词。一般出现在“把”字前。⑤表示语气的副词。一般放在“把”字的前面。⑥关联副词。只能出现在“把”字的前面。⑦表示情态的副词。有的只能放在“把”字的前面。有的既能放在“把”字的前面，又能放在动词的前面。⑧表示肯定、否定的副词。只能放在“把”的前面。⑨表示程度的副词。一是表示程度比较、程度不断加深的副词，像“更”等，只能放在“把”字的前面。二是表示程度浅的副词，除了“有点儿”只能放在“把”字之前外，其他的一般放在动词前。⑩表示类同的副词“也”，既可以放在“把”字的前面，也可以放在动词的前面。但意思不一样。

4）高橋（2006:175）によれば、また範囲副詞“都”について、以下のように述べている。

①二胡、琵琶都是民族乐器。（同一出来事）二胡も琵琶も民族楽器です。（同上）

②我都认识他们。（同一出来事）私は彼らをみな知っています。（同上）

③你都去访问些什么地方？（同一出来事）どの都市を訪問しますか。（同上）

“都”の用法を説明する場合、これまでの説では例①）や③のような例文だけを挙げ、平叙文などでは前を「総括」し、疑問文では後ろを「総括」するという説明がなされてきましたが、主体が単数を表し、前を総括できない例②のような例文だと、「総括」を表すというこれまでの説明では不十分となります。“都”は副詞なので、前と直接的な関係はなく、後ろの動詞や動詞連語が表す出来事と関係しているので、それらの出来事が「同一」であることを表すと説明すれば、この奇妙な説明をしなくてすみます。高橋（2006:175）によれば、「例①の“胡、琵琶”はいずれも“都”によって出来事が同一“民族乐器”であることを表している。例②③の“都”も同様で動詞や動詞連語で作る出来事が「同一」であることを表している。なお、例②は“他们，我都认识。”と言うほうが一般的です。」と主張している。

5）範囲副詞“全”、“全都”は“都”と同様に扱う。

6) “娃娃们都把大碗举向半空。”はコーパスから引用したものであり、その日本語訳は「子供たちはどんぶりを上に突き出し。」となっていたが、筆者が改めて訳した。

7)『語言自邇集』は中国音表記法「ウェード式ローマ字」を創案したトーマス・F・ウェードが北京のイギリス公使館の見習生教育用に刊行した中国語会話（北京官話）テキストである。『語言自邇集』の初版（全4冊）は1867年に出版され、その後、1886年に第2版（全3冊）、1903年に第3版（全2冊）が出版されている。

8)『北京官話伊蘇普喩言』は中田敬義が北京で龔恩禄の指導のもとに、二年半ほどを費やして、1878年に日本語から中国語に訳され、全部で237話が収められている。当時日本では南京官話から北京官話への転換期であり、北京官話のテキストとして外国語学校や陸軍で使用されていたと言われている。

9)『官話指南』は日本人である呉啓太、鄭永邦の共編により、黄裕壽、金國璞の校正を経て、楊龍太郎を出版人として出版された「中国語会話書」である。本書は1881年（明治14年）に出版され、長年にわたり日本人および欧米人に使用されてきた中国語学習用の教科書である。この教科書は六つの版本があり、初版は1881年（明治14年）に出版され（六角恒廣編の『中国語教本類集成』には影印を掲載されている）、また1882年には上海美華書館によりも出版された。その後、1886年上海脩文活版館により再版され、1990年に上海美華書館により重刊され、同年福州美華書院により重刊された。さらに、1903年にはKelly＆ Walsh Limitedにより重刊された。

10)『北京官話今古奇観』の第一編は金國璞が明治37年（1904年）に抱甕老人の『今古奇観』を清末当代の北京官話に書きかえたものである（六角：P92)。この第一編には、原本『今古奇観』の<第十六回 李汧公窮邸遇俠客>（略称<李>）と<第三十六回　十三郎五歳朝天>（略称<十三郎>）の二篇が収められている。『今古奇観』の第二編は明治44年（1911年）に書きかえられ、原本の<第十三回 沈小霞相會出師表>（略称<沈>）と<第二十九回 懷私怨狠僕告主>（略称<懷>）の二篇が収められている。

11)(3:55)は PARTⅢの 55 頁という意味である。

12)(26)は第 26 話という意味である。用例の右端の数字は全て『北京官話伊蘇普喩言』中の話の番号を示す。

13)(3-13-69)は第 4 巻第 7 章 85 ページと言う意味を表す。

14)（<李>：17)は<李汧公窮邸遇俠客>の第 17 頁という意味である。

参考文献

中国語

康玉华・来思平（2006)『中国語会話 301』下（新訳第 3 版）: 141-142，186，205（原著北京語言大学出版社発行）語文研究社

李人鉴.(1991) 〈试”使字句”和”把”字句（续)〉《扬州师院学报》

吕叔湘主编(1980) 《现代汉语八百词（增订本)》 商务印书馆

马箭飞主编，苏英霞，翟艳编著 罗京莉译 2007 《汉语口语速成》下：144-146

邱军・彭志平（2008)《成功之路》顺利篇 2：123-124 北京语言大学出版　　社

屈承熹著 纪宗仁协著.(2005.1).《汉语认知功能语法》黑龙江人民出版社.

杨德峰 (2004) 《汉语的结构和句子研究》 教育科学出版社.

日本語

香坂順一　著（1962)『現代中国語文法』光生館

加藤晴子(1995) <状语的意义和状语在“把”字句中的位置>,『中国語学』日本中国語学会

小路口ゆみ（2014)「現代中国語“把”構文における基本用法と派生用法とについて」口頭発表

小路口ゆみ（2015)「中国語の“把”構文における副詞の位置について－副詞“都”を中心に」『研究会報告』第 38 号：91-102　日本語文法研究会発行

李臨定著　宮田一郎訳 (1993) 『中国語文法概論』 光生館

刘月华 潘文娱　故韡著　相原茂　監訳　片山博美　守屋宏則　平井和之訳（1988)『現代中国語文法法総覧（上)』くろしお出版

刘月华　潘文娱　故韡著　相原茂　監訳　片山博美　守屋宏則　平井和之訳

(1991)『現代中国語文法総覧（下)』くろしお出版.
時衛国著(2011)『中国語の程度表現の体系的研究』白帝社
時衛国(2012)『中国語の量的修飾構造の研究』好文出版
鈴木康之(2000)『日本語学の常識』海山文化研究所
高橋弥守彦(2006)『実用詳解中国語文法』郁文堂.
高橋弥守彦(2011)「中日対照関係からみる時間詞の位置」、『中日対照言語学概論』日本語文法研究会
高橋弥守彦(2012)「”被字句”の語順について」、『日中言語対照研究論集』白帝社
谷口一美(2006)『学びのエクササイズ 認知言語学』ひつじ書房

用例出典と略称

『中日対訳コーパス（第一版)』北京日本研究センター2003 「コーパス」

・《丹凤眼》 略《丹》 『鳳凰の眼』

・《插队的故事》 略《插队》 『遥かなる大地』 略『大地』

・《人到中年》 略《中年》 『人、中年に到るや』 略『人』

◆『語言自邇集』初版 1867年 LONDON : TRÜBNER & CO.,60,PATERNOSTER ROW. MDCCOLXVIL

『語言自邇集の研究』影印本文 2015年 内田慶市 氷野歩 宋桔編著 好文出版

◆『漢訳イソップ集』2014 関西大学アジア文化研究センター 内田慶市編著 遊文舎出版

『通俗伊蘇普物語』2001 訳者 渡部温 東洋文庫693 平凡社

◆『官話指南』の初版 1881 六角恒廣編 『中国語教本類集成』の第1集第2巻の影印本

『官話指南總譯』呉泰壽著 文求堂書 大正4年（1915年)

◆『中国語学資料叢刊』(燕語社会風俗官話翻訳 古典小説・精選課本篇) 第一巻に影印されたものである（『北京官話今古奇観』第一編 1904、『北京官話今古奇観』第二編 1911）不二出版社 1985年

中日両言語における副詞について

Concerning the Position of the Adverb in Chinese and Japanese

高橋　弥守彦
TAKAHASHI Yasuhiko

提要

在词序问题上，日语要比汉语相对自由一些。这是因为汉语是单形体语言，而日语是多形体语言的缘故。

由于日语是多形体语言，因此名词、动词、形容词等主要三种词类的形态变化较为丰富。由于这些词类形态变化丰富，无论放在句中哪个位置，都不影响句子的意思，因此句中带格名词的位置以及动词与动词或形容词之间的连接等均显得比较宽泛。

日语的副词基本上都是固定的形体，几乎没有形态变化，而词序却较为自由。这是因为副词的形体都是固定的，因此副词位于句中的位置才显得相对自由。

キーワード： **品詞の体系　副詞の位置　修飾　心的態度**

目次

1. はじめに
2. 副詞の位置
3. 中国語の副詞の位置
4. 日本語の副詞の位置
5. おわりに

1. はじめに

文は名詞を中心とする品詞の体系により作られる。この品詞の体系に基づき、副詞は、文内の位置から言えば、一般に文中で動詞や形容詞の前に用いられ、それらを修飾する。しかし、名詞などの体言性の品詞の前に用いられることもあり、やはりそれらを修飾する。また、これらの品詞を核とする連語の前にも用いられ、それらを修飾する。さらに文中の単語や連語の前だけでなく文頭にも用いられ、心的態度を表すこともある。

先行研究や実例に見られるこれらの言語事実を整理すると、形式的に見る副詞の位置は、一般に以下の２通りに分けられ細分化できる。

1）文中の単語や連語の前に用いられる副詞。

i. 動詞や形容詞、またはそれらを核とする連語の前に用いられる。

ii. 体言性の単語や連語の前に用いられる。

2）文頭に用いられる副詞。

本稿では、文中と文頭に用いられる副詞の位置、および副詞がなぜ文中と文頭の特定の位置に用いられ、修飾と心的態度の２つの機能を表せるのかなど、以下の２点を検討する。

1）中日両言語の副詞は、なぜ用言性の語句の前ばかりでなく、体言性の語句の前にも用いることができるのか。

2）中日両言語の副詞は、なぜ修飾と心的態度を表せるのか。

2. 副詞の位置

中日両言語の文中と文頭に用いられる副詞の位置は、以下の３点に挙げる基本的な理論に基づいている。

2.1 現実の世界と言葉の世界との関係

言葉は現実を反映する。これは言語学研究会鈴木康之グループの基本的な考え方である。これに基づき現実の世界と言葉の世界との関係が明らかになる。現実の世界は人の認識と思考を通じて言葉の世界に反映される。言葉は以下に示す図表のように、単語を中心として語素から文章までの 8 段階の文法単位に分かれる。

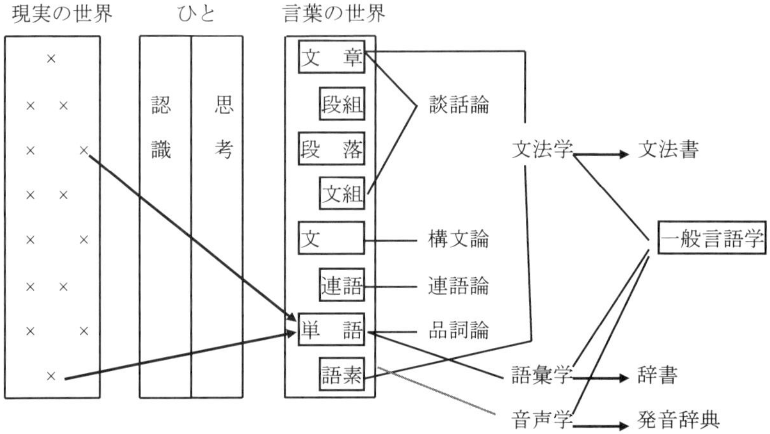

2.2　振り子理論から見る世界の言語

世界の言語は、グリーンバーグ（1963）の言語類型論を基礎とする筆者の振り子理論に基づく段階別言語類型論によれば、以下のように系統的・体系的に分けられる。

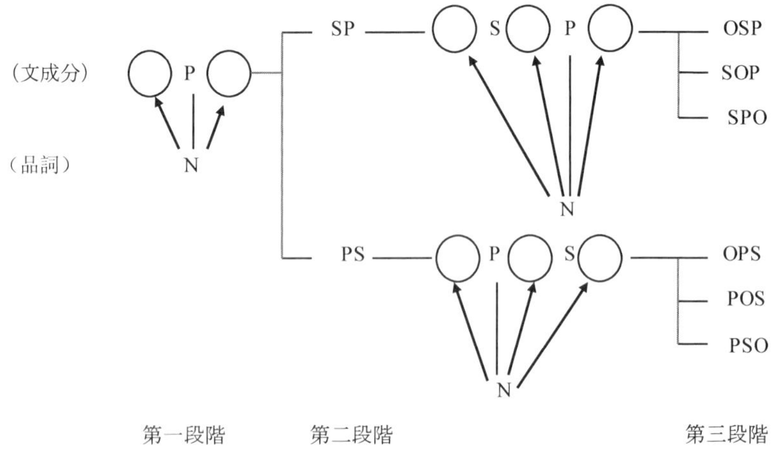

2.3 文内における中国語の副詞の位置と機能

先行研究と筆者の調査とによれば、文内における副詞の位置と機能は、以下の2通りに分けられる。

i. 副詞の基本用法は文中の動詞や形容詞の前に用いられることだが、まれに数量・順序・位置などを表す体言性の単語の前にも用いられる。また、これらの品詞で作る連語の前にも用いられ、それらを修飾する。

ii. 文頭の説明連語や選択連語の前に用いられ、話者の考え方や発見などのいわゆる心的態度を表す。

文は一般に単語と連語とによって作られる。文を作る品詞の体系から言えば、副詞は具体的な意味を表す動詞や形容詞の特性を表すので、それらの前に用いられ、文法的な意味により、それらを修飾する。これが副詞の基本用法[1)]である。このほか、副詞には用言性の連語と体言性の単語や連語の前にも用いられ、その内容により、修飾と話者の心的態度を表す派生的な用法もある。

先行研究によれば、これまで日本語の副詞は、一つの意味概念を表す「形体」と「機能」[2)]の両面から議論されてきた。その研究成果は多数あるものの、近年では「機能」に傾きつつある[3)]と言われている。筆者は先行研究を踏まえ、品詞の体系から上述のように、中日両言語の副詞の基本用法は、動詞や形容詞などの前に用いられ修飾を表すことと定義している。

中国語の副詞は、その有する意味から以下に挙げる［表 1］のように分類している。また、副詞の表す機能から修飾と話者の心的態度を［表 2］のように分類し、文中における副詞の位置から、その用法を［表 3］のよ

---

1. 高橋弥守彦（2013：8）によれば、文は名詞を中心とする品詞の体系に基づき、品詞の特性によって作られる、とする。なお、副詞が動詞や形容詞だけでなく名詞などの体言性の語句の前に用いられるのも、これらの語句の意味とそれらの意味的な関係を表す副詞の特性による、としている。
2. 国研（1991：5）では「形体」と「機能」を「形」と「働き」としている。
3. 国研（1991：5）に「副詞的働きを持つものを副詞と考えるのが主流」とある。

うに分類している。

［表 1］ 中国語の副詞分類表 4)

- 副詞
  - 感性的な副詞：程度副詞“很、最、格外”・情態副詞“突然、渐渐、悄悄”・語気副詞“大概、简直、究竟”
  - 判断的な副詞：範囲副詞“都、只、一共”・頻度副詞“又、常、重新”・否定副詞“不、没、不必”
  - 時間的な副詞：時間副詞“正、在、正在、才、马上、立刻”
  - 関連的な副詞：関連副詞“又…又…、越…越…、既…又…、先…然后…”“（只要）…就…、（只有）…才…、（一）…就…、（不管）…都…”

［表 2］ 中国語の副詞と語句との関係 5)

- 副詞
  - 修飾
    - 副詞の後に用いる語句の修飾（文頭、文中）
    - 副詞の前後の語句の意味関係からの修飾（文中）
  - 心的態度（文頭、文中）

［表 3］ 中国語の副詞の用法 6)

- 副詞
  - 修飾
    - 用言性の単語や連語の修飾
    - 体言性の単語や連語の修飾
  - 心的態度
    - 連語（説明連語、選択連語）に対する心的態度

---

4. 高橋弥守彦（2006：172）の修正版である。
5. 国研（1991：45）では、日本語の副詞の機能として以下の 3 点を挙げている。
   ①動作・状態の様子を詳しく述べる機能
   ②話し手の気持・態度を述べる機能
   ③次に述べ立てる内容を何らかの形で示唆する誘導の機能
6. 相原茂ら（1994：142～144）などに基づいて整理した副詞の用法である。

3. 中国語の副詞の位置

本節では、中日両言語の対応関係から中国語の副詞を中心に分析する。中日両言語の副詞の対応関係を調査すると、副詞の使用は言語事実から見れば、日本語に比べ中国語の方がはるかに多い。それは以下の文中に現れる中日両言語の副詞からも明らかである。この点から、中国語の副詞がなぜ多用されるのかも明らかにする必要があるだろう。

3.1 修飾を表す副詞

副詞は具体的な意味を表すのではなく、具体的な意味を表す語句の修飾と話者の心的態度とを表す。筆者は、中国語の副詞を上掲［表 1］のように4類8項目に大別しているが､副詞の修飾機能はどの類の副詞にもある。なかでも品詞の体系からみれば、副詞は動詞と形容詞の特性を表すので、それらの前に用いられ、それらの修飾を表すのが基本用法と言える。

3.1.1 用言性の語句を修飾する副詞

品詞の体系からも、実例からも、副詞は動詞と形容詞、およびそれらで作る連語の前に用いられ、それらを修飾するか心的態度かを表している。以下では副詞の修飾機能から順を追って見てみよう。

（1）阿浓的朋友很知趣，一见门口那一溜拖鞋，都识相地脱鞋换鞋，无须阿浓关照打招呼。(『人民』94－1－93)
友人たちも、よくわかってくれた。入り口に置いたスリッパを見ただけで気をきかせ､靴をぬいで履き替えてくれた｡阿濃が、よろしくね、と頼むまでもなかった。(同上、94－1－92)

（2）罗泽心里很难过，但他脸上却十分镇静。(『人民』93－1－111)
羅はとてもつらかったが、表情は静かだった。(同上、93－1－110)

（3）仿佛有无数只小手在信封里捣鬼，我好半天才把它拆开，字很清丽，一看就是女孩子。(『人民』88－8－97)
無数の小さい手が、封筒の中であやしくうごめいているのでは？しばらくしてからやっと封を切る。きれいな字だ。ひと目で女の字と分かる。(同上)

（4）敏坐在沙发上，面前的茶几上摆着一杯很苦的咖啡。(『人民』95－4－99)
敏はソファにすわっていた。目の前の小テーブルには、濃いブラックコーヒーが置いてある。(同上)

上掲の4例中、中国語の原文は、形容詞“知趣、难过、清丽、苦”の前に程度副詞“很”を用いている。例（1）（2）の日本語の訳文は、“知趣”［わかってくれた］と“难过”［つらかった］の前に程度副詞“很”［よく、とても］を用いている。この2例における副詞は、文中に現れているので、中日両言語が対応関係になっている。しかし、例（3）（4）の日本語訳は形容詞“清丽、苦”が訳されているだけであり、程度副詞“很”の訳は文中に現れていないので、両言語の副詞は対応関係になっていない、と言える。

中国語の形容詞は心理活動を表す動詞性の語句で訳す場合（例1)、程度副詞を訳出すると意味が強調される。形容詞は反義性かセット性[7]かの体系を作るので、例（1）（2）のように現実との関係から特に強調しようとする意図があれば、程度副詞は訳されるが、一般通念を表すだけであれば、程度副詞は減訳される。そのため、例（3）（4）の“很”は訳されていない。程度副詞が減訳されるのは、感情を抑える傾向にある日本人の性格が言語に反映されている場合でもある。次に副詞と連語との関係を見てみよう。

---

7. 高橋弥守彦（2006：95）では、「大小」「長短」などの反義で一組になっている形容詞を相対性（反義性）形容詞と言い、色「赤い、青い、黒い、黄色い」や味「甘い、からい、すっぱい、しょっぱい」などで一つの体系を作る形容詞を絶対性（対義性）形容詞と言っている。

（５）阿浓觉得很对不起朋友。(『人民』94－1－93)
彼らに申しわけない、と阿濃は思った。(同上、p. 92)

（６）不知为什么，对这一点他很有把握。(『人民』88－10－93)
なぜか、この点だけは確信がある。(同上)

例 (5) (6) は、動詞“对不起、有”を核とする選択連語形式の動詞連語「動詞＋客体」であり、例 (5) の客体は体言性の名詞“朋友”、例 (6) は用言性の動詞“把握”である。日本語訳では、これらの連語の前に用いる程度副詞“很”は、いずれも減訳されている。これも感情を抑える日本人の性格が言語に反映している場合である。このほか副詞は、以下の実例に見られるように、説明連語（文形式の連語）や複雑な選択連語（動詞＋名詞）の前に用いる場合もある。

（７）突然，山听到孩子“哇”地一声大哭了起来。(『人民』88－12－107)
突然、子供のワーッと泣き叫ぶ声。(同上)

（８）忽然，办公室凳椅乱响，大家呼呼地站起往门口涌。（『人民』89－2－99)
急に事務室の机や椅子がガタガタ鳴り、みなはがやがや立ち上がってドアに向かった。(同上)

（９）他离开她后，突然举起一把剃须刀，猛然剃向自己的股动脉。(『人民』88－12－105)
彼女のもとを去ると、彼はふいにカミソリを持ち上げ、グッと動脈に突き刺した。（同上)

(10) 绍华下意识地抻了抻衣襟，忽然想起了什么，急忙回到屋里，打开衣柜，取出一套高档的西装。（『人民』88－7－98)
ふと襟を何気なくひっぱると、彼女は急に何か思い出したように、部屋に戻った。（同上)

例（7）から（10）までは、情態副詞“突然、忽然”が文や分文の先頭に用いられ、説明連語“山听到孩子‘哇’地一声大哭了起来”“他张大嘴巴说不下去了”と複雑な選択連語“举起一把剃须刀”“想起了什么”をそれぞれ修飾している。これらの副詞は、以下の文に見られるように、文中の選択連語[8]の前にも用いられる。

（11）这时敏突然明白产生那种奇怪感觉的原因了；她拥有的太不平衡，物质富有，而精神太贫乏了。（『人民』95－4－99）
このとき突然、あの奇妙な感覚を生んだ原因が分かった。私の持っているものは全くバランスを欠いている、物質的には豊かだが、精神的には全く貧しいのだ。（同上、95－4－98）

（12）鼻翼忽然抽搐了一下，这，这是什么味儿？（『人民』88－10－93）
ふと鼻がぴくぴくした。これは、なんのニオイだ？（同上）

文頭に使われる情態副詞などについて、一部の専門家は文副詞[9]と名付けている。これらの副詞は上掲の例（11）（12）に見られるように、文中の選択連語の前にも用いることができるので、果たして文副詞と名付けるのが適切な名付けなのか、疑問である。筆者の上掲の分析によれば、いずれも文の前ではなく連語の前である。

---

8. 選択連語は「動詞＋名詞」が基本構造だが、客体となる名詞は道具“吃大腕”や結果“写小说”など、いろいろな種類がある。どの類の客体であれ、現実を反映する言語環境があれば、動詞の後には動態助詞が用いられる。本稿では、動詞の後に動態助詞“了”が用いられているので、数量詞も客体のひとつとしている。

9. 相原茂ら（1996：143）には、文頭に用いる語気副詞“究竟、难道、也许”などの説明があり、例文（“究竟你去还是他去？［いったいぜんたい君が行くのか、それとも彼が行くのか。］”）が挙げられている。しかし、これらの副詞は動詞連語の前にも用いられる。

　　这种奇怪感觉的产生，敏心里怎么也想不出这究竟是为什么……（『人民』95－4－99）こういった奇妙な感覚がどうして生まれたのか、敏はいくら考えても理由がわからなかった。（『人民』95－4－99）

3.1.2 体言性の語句を修飾する副詞

品詞の体系から、一般に副詞は副詞の特性により、上掲の実例にあるように動詞や形容詞、およびそれらで作る連語の前に用いられ修飾を表す。筆者の調査によれば、このうち、形容詞の前に用いられる場合が一番多い。しかし、以下の実例に見られるように、一部の副詞は体言性の単語や連語を直接修飾する場合もある。それがなぜ可能なのかについて、ここで検討してみよう。まず、副詞が体言性の単語の前に用いられている実例から見ていこう。

（13）他目不旁视，径直走到电梯门口：“上！到最顶层。”（『人民』95－1－101）
先生はわき目も振らず、エレベーターのところに直行した。「さあ、一番上だ」。（同上、95－1－100）

（14）别的秘书都先后升迁了，唯独他还守着老窝没挪动一步。（『人民』95－2－99）
ほかの秘書はみな相次いで出世していったが、彼ひとりだけは元の位置から一歩も出なかった。（同上、95－2－98～99）

（15）“星海”牌的，才一千八。（『人民』88－7－100）
ブランドは「星海」で千八百元。（同上）

上掲の最高レベルを表す程度副詞“最”は、名詞“顶层”（例 13）の前に用いられ、具体的な位置としての［最上階］を表している。範囲の制限を表す範囲副詞[10)]“唯独、才”は、代詞“他”（例 14）と数詞“一千八”（例 15）の前に用いられ、それらの数量を制限している。

10.《丁崇明》(2009 : 125) では、言語事実から範囲を表す副詞は主語を修飾できるとして例（14）に属す文を挙げている。《李徳津 金徳厚》(2009:32) では、言語事実から、ごく限られた副詞は主語の前に用いることができるとして例（15）に属する文を挙げている。

これらの体言性の単語は、その前に動詞がなくても、それ自身で位置や数量などの具体的な意味を表せるので、副詞を直接これらの単語の前に用いることができる。体言性の単語の前に用いることのできる副詞は、位置や数量など表す単語を意味的に修飾できる副詞であり、それらの単語の意味範疇をより具体化する。これらの副詞は、位置を特定したり意味を制限したりする用法のある副詞に限られる。

これらの言語事実から、「副詞＋体言性の単語」のなかで、体言性の単語が具体的な位置や数量などを表す場合、最高レベルや範囲などを表す副詞は、これらの体言性の単語の前に用いられ、モノの位置関係や数量の制限などを特定する機能を果たしている。

このほか、副詞は具体的な数量を表す名詞連語の前にも用いられ、副詞の意味により、名詞連語で表す数量を制限する。

(16)　客厅足有我家半个打谷场大，空空荡荡，就我一个人坐在那里。（『人民』95－5－99）
わが家の脱穀場の、ゆうに半分はある客間だ。ガランとしたその客間に僕はひとりで座っている。（同上、95－5－98）

(17)　她伤心，她没想到才一年他就变了。（『人民』91－8－97）
彼女は悲しかった。一年そこらで変わってしまうなんて思ってもいなかった。(同上)

(18)　可不知为什么，菊儿却留下了才两岁的孩子。（『人民』88－12－106）
だが、なぜか、まだやっと二つの子を、菊児は残して行った。（同上）

上掲の“就我一个人”“才一年”“才两岁”は「副詞＋名詞連語」であり、副詞は名詞連語の表す数量（例 16，17）を制限し、順序（例 18）を特定している。これらの名詞連語も上掲の名詞と同様、副詞が限定修飾できる数量や順序などの具体的な意味を表しているので、その前に副詞が直接用いられている。これが可能なのは両者が意味的に密接な関係のある場合である。

3.2 心的態度を表す副詞

「心的態度を表す副詞」とは、その後に用いられる連語を修飾するのではなく、話者や主体の考え方や気づきなどを表す。一般には「文副詞」[11)]と言われている。副詞が修飾と心的態度のどちらかの機能を表すにしろ、連語の表す内容に基づいているだけであり、どちらも副詞と関連する連語なので、この用法は副詞の基本用法「修飾」からの派生と言える。

(19) “原来他也……少了‘一半’”（『人民』95－4－99）
「そうだったの、あの人も……『もう一つの半分』を持っていなかったんだわ」（同上）

(20) 原来，徳君在L形小街一帯任税收员，有几个纳税人好几次要作东请他喝酒，都被他婉谢了。(『人民』95－3－99)
わけはこうだ。徳君はL字型横町一帯の徴税係で、何人かの納税者からご馳走させて下さいよとよく言われているのだが、どれも婉曲に断ってきた。(同上)

(21) 天，怪味儿原来在自己身上！(『人民』88－10－94)
なんということだ、ニオイは自分の体から出ていたのだ。(同上)

例（19）（20）の心的態度を表す副詞“原来”は主体の考え方、例（21）は話者の気づきを表す用法である。“原来”は、例（19）（20）が説明連語の前、例（21）は選択連語の前に用いている。“原来”の文中における位

11. 国研（1991：35）や相原茂ら（1994：143）は、文の前に用いる副詞として、「文副詞」について言及している。

置はどちらも可能だが、文頭に用いて話者の心的態度を表す場合の方が多い。

4. 日本語の副詞の位置

文中における日本語の副詞の位置は、中国語のそれと比較すると、以下のような特徴が挙げられる。

i. 副詞の基本用法は、中国語と同様、やはり動詞や形容詞の前に用いられ修飾を表すことである。まれに名詞の前にも用いられ修飾を表す。文中における日本語の副詞の位置は、中国語に比べると比較的緩やかである。

ii. 副詞の派生的用法として、中国語と同様、動詞・形容詞・名詞を核とする連語の前にも用いられ、やはり修飾と心的態度とを表す。どちらの用法を表す場合であれ、副詞の位置は、中国語に比べると比較的自由である。

上掲の実例中の原文と訳文を比較しても、中日両言語の副詞の使用頻度には明らかな違いが見られる。以下のように整理できる。

i. 中国語の副詞の方が日本語のそれより使用頻度がはるかに高い。社会環境により、中国語は自分の意思を明らかにする傾向にあり、日本語は自分の意思を明らかにすることを嫌う傾向にある。

ii. 論理型の中国語と配慮型の日本語の違い[12)]が、副詞の使用頻度にも影響を与えている。副詞はモダリテイのひとつとして、意思を明らかにする傾向にあるので、意思を明確にする中国語ではよく使われるが、日本語では使われない傾向にある。

本節では、日中両言語の対応関係から日本語の副詞の位置を中心に分析する。日中両言語を対照すると、前節で述べるように、中国語の副詞は、日本語に訳されない場合の方が多いが、日本語の副詞は、いずれも原則と

---

12. 高橋弥守彦（2017：35）では、述部の先頭で副詞“不、没”などを用いて、意思を明らかにする中国語の論理型と文末で意思を明らかにする日本語の配慮型について詳述している。

して中国語に訳されている。

4.1 用言性の語句を修飾する副詞

本節では日本語の副詞を中心に調査する。日中両言語の対応関係を調査すると、以下の実例中にも見られるように、日本語の副詞は、原則として中国語に訳されている。

(22) 自分の意思はどう扱われるのか、果たして意識はあるだろうか?（『天声人語②』p. 42）

自己的意愿会被尊重吗（直译：会被怎样对待呢？）？那时候人究竟还有没有意识呢？（同上、p. 42～43）

(23) トークの質はおいおい高めるとして、まずは「声の絞り方」を必修科目にお勧めしたい。(『天声人語②』p. 281)

（这些新成人）交谈质量可以慢慢地提高，但我建议他们先学好“控制音量”这门必修科。(同上、p. 282)

(24) 間違えるとだんだん電圧を上げるというものだった。(『日本時事』p. 86)

每次答错就会加压。(同上)

(25) 丁寧にいれた緑茶をゆっくりと飲む。(『天声人語①』p. 258)

（让客人）慢慢喝精心泡出的绿茶。(同上)

例（22）（23）は語気副詞［果たして］と情態副詞［おいおい］だが、連語「ハ格の名詞＋動詞」を作るハ格の名詞の前後に用いられている。実例から、これらの副詞はどちらに用いてもよいと言える。例（24）（25）の情態副詞［だんだん、ゆっくりと］もヲ格の名詞の前後に用いられている。実例からも、これらの副詞の位置はどちらに用いてもよいと言える。

これは、日本語が多形体言語であるにもかかわらず、副詞はそれぞれが形態変化のない固定した独自の語形だからである。そのため、副詞はどの位置においても容易に副詞と分かるので、文中における位置が比較的自由である。なお、上掲の副詞はいずれも中国語に訳されている。

4.2 体言性の語句を修飾する副詞

副詞は副詞の特性から、一般に動詞や形容詞などの用言性の語句を修飾するが、体言性の語句を修飾する場合もある。これはかなり特殊な場合であり、副詞はこれらの語句を限定修飾する。ただし、すべての副詞が体言性の語句を修飾できるわけではなく、修飾される体言性の語句がそれだけで数量・順序・位置などの具体的な意味を表す場合だけである。もちろん、それを修飾する副詞にも制限があり、両者は意味的に密接な関係がある。

(26) わずか6畳分の空間で「ママ」が二つも熱くなってはたまらない。(『天声人語②』p. 68)
在这仅有6块榻榻米（草席）大的空间里，妈妈做着这两件事，热得苦不堪言。(同上)

(27) ただ正月飾りのうち、ゆずり葉ははるか平安時代から宮中などの礼儀に使われていたという。(『日本時事』p. 3)
作为只在新年装饰的交让木，据说从遥远的平安时代起就已经在皇宫等礼仪中开始使用了。(同上)

(28) 「ごく一部の便」とは日本路線である。(『天声人語解読』p. 170)
这"极少数班机"是指往返于日本航线上的班机。(同上、p. 173)

例（26）（27）（28）の［わずか、ただ、ごく］など一部の副詞は、数量などを限定修飾する副詞なので、数量・順序・位置などを表す語句の前によく用いられ、それらを限定修飾する。

上掲の実例中に用いられている［わずか、ただ、ごく］などの副詞は、名詞連語［6 畳分の空間で］［正月飾りのうち、ゆずり葉は］［一部の便］だけで、畳や植物などの種類やその数量を表すことができるので、その前に直接用いられ、それらの種類や数量を限定修飾する。

4.3 心的態度を表す副詞

日本語の「心的態度を表す副詞」も、文副詞と言われ、文全体に対する話者や主体の考え方・気づき・由来などを表す場合に用いられる副詞と考えられている。しかし、文全体とは文副詞を含めての文全体を言うのであり、文副詞の後の語句だけを言うのではないので、その名づけに若干問題がある。文副詞といわれる副詞が修飾しているのは、筆者の調査によれば、文全体ではなく説明連語（主体のある文形式の連語）や選択連語の前である。副詞の文法機能は単語や連語を修飾できるだけであり、文は修飾できない。これが副詞の機能であり、日本語の文副詞もその名づけに若干問題があると言わざるを得ない。

(29) もともと小学生の地理教育用に作られたそうだ。(『天声人語②』p. 200)
据说，这是原来为了配合小学生的地理教学而作的。(同上、p. 201)

(30) もともとは中国伝来である。(『天声人語①』p. 316)
（汤壶）原来是从中国传过来的。(同上)

例 (29) は［小学生の地理教育用にもともと作られたそうだ。］とも言える。例 (30) も主体［湯たんぽ］をつければ、［もともと湯たんぽは中国伝来である。］［湯たんぽはもともと中国伝来である。］とも言える。この点から、言語環境がありさえすれば、これらの副詞は文頭にも文中にも用いることができる、と言える。

4.4 中日両言語における副詞の使用頻度

上掲の例 (1) (2) と (3) (4) では、原文と訳文との副詞の用いられている有無の状況を指摘したが、本節では実例を分析し、中日両言語の副詞の有無についてさらに検討してみよう。

(31) 人生多少悲愁，都从正面看，认了、接了。(『人民』15－5－68)
人生の悲しみや憂いをすべて正面から見て、認め、受け入れる。(同上)

(32) 我看着他下楼，身影消失在拐角处，刚刚关上门，门铃又响了。(『人民』18－3－69)
私は彼が下におり、角を曲がって姿を消すまで見送った。玄関を閉めたとたん、呼び鈴がまた鳴った。(同上)

(33) 三根葱，是最轻的礼物。但每一根，对他来说都有分量。(『人民』16－2－78)
3 本のネギは最も簡単なプレゼントだったけど、どの 1 本も、彼にとってはとても重みのあるものだった。(同上)

(34) 我开门，小伙子又转回来了：“你也可以在门上贴个纸条，如果你方便的话……”　(『人民』18－3－69)
玄関を開けると、あの青年が戻って来ていて、「玄関に張り紙をしておいてもいいですよ、もしあなたがお望みなら」と言った。(同上)

(35) 后来才知道这是为了催熟、去涩。(『人民』14－1－70)
これが成熟させ、渋を抜くためであったことを、ずいぶん後になって知った。(同上)

例 (31) (32) の副詞“都、又”は［すべて、また］と訳されているので、中日両言語では対応している。例 (33) (34) (35) の副詞“都、又、才”は訳されていないので対応していない、と言える。

例 (31) と (33) の“都”を比較してみよう。前者の“都”は訳されているが、後者は訳されていない。例 (31) は説明連語“人生多少悲愁”が主語で、“都”は出来事“从正面看，认了、接了”が同一であることを表し、主語がひとつではないことを表している。説明連語中の複数を表す“多少”が訳されていないので、“都”を訳し、説明連語の内容が複数であり、その出来事がすべて同一であることを明らかにしている。例(33)の“都”は主語“每一根”を受けているが、減訳となっている。複数を表す“每一根”が訳されているので、重複を避けるため、“都”を減訳にしている。

例（32）と（34）の“又”も比較してみよう。例（32）の“又”は主語“门铃”が2回目に鳴った“响了”なので、2回目を表す“又”を使っている。訳文も同様に解釈できる。例(34)の主語が2回目に戻ってきた“转回来了”ので、中国語では“又”を使っているが、訳文では［戻って来ていて]の意味がすでに2回目を表しているので、“又”が減訳となっている。

例（35）の“才”は客体である動詞連語“知道这是为了催熟、去涩”の意味的な完成のために、時間が随分たっていることを表しているが、副詞“后来”［ずいぶん後になって］が訳されているので、意味的な重複を避けるために、時間が随分たったことを表す副詞“才”を減訳にしている。これらから、日本語では重複を避けるため、副詞が減訳される傾向にあると言える。

(36) 了解のために使われた時間は、ごく短かった。(『天声人語解読』p. 141)
当时在极短的时间内就做通了家属的工作。(同上、p. 144)

(37) 小売業やサービス業では、しばしば直面する課題だ。(『日本時事』p. 51)
这是零售、服务等行业经常会遇到的问题。(同上)

(38) さっそく衆院の予算委員会で「なんたる不名誉」と取り上げた議員がいた。(『天声人語①』p. 154)
在众议院的预算委员会上，有位议员当即指出：“这多不光彩！”(同上、p. 156)

例（36）（37）（38）の副詞［ごく、しばしば、さっそく］には、すべて中国語訳の副詞“极、经常、当即”がある。このことから日本語の副詞は、一般に中国語に訳す傾向にあると言える。

上掲例（31）から（35）までの中日対照の実例中では、中国語の副詞を日本語に訳している場合（例 31，32）と訳していない場合（例 33，34，35）とがある。それに対し、日中対訳の実例中（36，37，38）では、日本語の副詞はすべて中国語に訳されている。この点から、中国語の副詞は前後の語句の意味や一般通念との関係により、日本語に訳す必要がない場合がある、と言える。これは日本語に訳すと、意味上の重複や文が長くなる傾向になるので、日本語では減訳する傾向にある、と言える。ここには表意文字と表音文字の根本的な特徴の違いが見える。

5. おわりに

上掲で検討する先行研究と実例との分析によれば、中日両言語の副詞は、文頭であれ、文中であれ、単語や連語の前に用いられて、それらの修飾や心的態度を表す。

品詞の体系から見れば、副詞の基本用法は動詞や形容詞の特性を表すので、それらの前に用いられる。また、それらを核とする用言性の連語の前にも用いられる。さらに、一部の副詞は単独で数量・順序・位置などの出来事を表す体言性の単語や連語の前にも直接用いられ、それらを限定修飾する。文は単語と連語とで作られるので、形式的には文頭に用いられる副詞も、文の前ではなく連語の前に用いられている、と言える。

文を作る品詞の体系から、副詞は基本用法として動詞と形容詞を修飾するが、派生的な用法として数量・順序・位置などの出来事を表す名詞をはじめとする体言性の単語も修飾する。また、それらで作る連語も修飾する。修飾を表す典型的な副詞は程度副詞・範囲副詞・情態副詞などだが、文頭や文中に用いられ、主体の考え方・気づき・由来などの心的態度を表す語気副詞などもある。また、日本語の副詞は、多形体言語（漢字・平仮名・

片仮名）のなかにあって、形態が固定化され、副詞を用いることのできる位置にあっては、どの位置であっても、副詞であることが分かるので、比較的自由に文中に用いることができる、と言える。

中日両言語を対照すると、上掲の実例中にも見られるとおり、中国語の副詞のほうがはるかに多く使われている。これは意思の有無を明確にする社会環境の違いがあると同時に、副詞と他の語句との意味上の重複を避けるためと、形態変化のある日本語は、文がどうしても長くなる傾向にあるので、副詞を減訳し文を短くする傾向にあると言える。

言語資料

1.『人民中国』ショートショート　人民中国雑誌社　1988～1997
2.『天声人语解读』 王锐 主编　世界图书出版公司　2000
3.『天声人语集萃』①②黄力游、林翠芳 编 外语教学与研究出版社 2007、2011
4.『日本時事コラムハイライト』《日本时事短评集萃》申秀逸 编译　知识产权出版社 2014
5.『人民中国』楽ラク対訳　人民中国雑誌社　2014～2017
6.『人民中国』ショートショート　人民中国雑誌社　2018～2019

参考文献

日本語文献

1. 相原茂 石田知子 戸沼市子（1996）『Why?にこたえるはじめての中国語の文法書』同学社
2. 郭春貴（2001）『誤用から学ぶ中国語』白帝社
3. 輿水優・島田亜美（2009）『中国語わかる文法』大修館書店
4. 国立国語研究所（1991）『副詞の意味と用法』大蔵省印刷局
5. 鈴木康之（2000）『日本語学の常識』海山文化研究所
6. 高橋弥守彦（2006）『実用詳解中国語文法』郁文堂
7. 高橋弥守彦（2013）『中日対照言語学概論―文法編―』日本語文法研究会

8. 高橋弥守彦（2017）『中日対照言語学概論―その発想と表現―』日本僑報社
9. 日本語文法学会編（2014）『日本語文法事典』大修館書店
10. 松岡榮志・古川裕（2004）『現代中国語総説』三省堂
11. 森山卓郎 新田義雄 工藤浩（2000）『日本語の文法３ モダリテイ』岩波書店
12. 李臨定著 宮田一郎訳（1993）『中国語文法概論』光生館
13. 呂叔湘主編　牛島徳次監訳　菱沼透訳（1992）『中国語用例辞典』東方書店

中国語文献

1. 白晓红　赵卫　编著（2007）《汉语虚词 15 讲》北京语言大学出版社
2. 岑玉珍 主编 幺书君 副主编（2013）《汉语副词词典》北京大学出版社
3. 丁崇明（2009）《现代汉语语法教程》北京大学出版社
4. 房玉清（2008）《实用汉语语法》北京语言大学出版社
5. 高顺全（2012）《多义副词的语法化顺序和习得循序研究》复旦大学
6. 耿二岭（2010）《汉语语法》北京语言大学出版社
7. 李德津 金德厚（2009）《汉语语法教学》北京语言大学出版社
8. 李晓琪（2005）《现代汉语虚词讲义》北京大学出版社
9. 卢福波（2011）《对外汉语教学实用语法》北京语言大学出版社
10. 陆庆和（2006）《实用对外汉语教学语法》北京大学出版社
11. 陆庆和 黄兴（2009）《汉语水平步步高 副词》苏州大学出版社
12. 罗耀华（2015）《副词化、词汇化与语法化——语气副词探微》华中示范大学出版社
13. 麻彩霞（2013）《现代汉语"相对程度副词＋动＋宾"发展演变研究》
14. 人民教育出版社中学语文室（1984）《中学教学语法系统提要（试用）》人民教育出版社
15. 孙德金（2002）《汉语语法教程》北京语言大学出版社
16. 张旺熹（2015）《现代汉语虚词的认知与功能研究》中国书籍出版社
17. 张谊生（2004）《现代汉语副词探索》学林出版社
18. 张谊生 主编，葛佳才、宗守云 副主编（2015）《汉语副词研究论集》第二辑 上海三联书店
19. 张则顺（2015）《现代汉语确信副词研究》中国社会科学出版社
20. 褚俊海（2012）《汉语副词的主观化历程——指示、限制、关联》湖南示范大学出版社

“别/不要……(了)”文とその多様な日本語訳

“*bie/buyao*……*(le)*” Sentence and the Various Japanese Translations

王　学群

WANG Xuequn

提要

本文通过对“别/不要……(了)”句子的日语译文的分析，发现“别/不要……(了)”句子翻译成日语时，不仅会翻译成「～するな」，而且还会翻译成很多其他的表达方式。译者对其他表达方式的选择，并不是因为日语表达方式众多，而是汉语“别/不要……(了)”句子所表达的否定命令的强弱使得译者不得不选择其他的表达方式。也就是说译者为了准确地翻译出汉语“别/不要……(了)”句子的情态意义而选择了其他的表达方式。

キーワード：禁止　命令　多様な日本語訳　話し手の態度　命令の度合い

目次

1.　はじめに
2.　多様な日本語訳とその分析
3.　多様な日本語訳について
4.　おわりに―意志性のない用法と評価用法―

1. はじめに

周知の通り、一般的に中国語の“别/不要……(了)”構文は禁止を表すと見なされている。しかし、例文を集めてみると、“别/不要……(了)”構文は禁止だけでなく、多様に訳されていることが判明した。そこで、本稿は、まず多様な日本語訳を明らかにしたうえで、なぜ多様な日本語訳が可能なのかについて、個々の“别/不要……（了）”文における陳述的な性格を吟味しながら、考察をしてみる。

2. 多様な日本語訳とその分析

本節では、中国語原文に対応する多様な日本語訳の例文を検討する[1)]。日本で出版されている中日辞典では、一般に“别/不要”の意味について、「～するな、～してはいけない、～必要がない」と対応するとしている[2)]。しかし、《中日对译语料库》から採集した例文から見れば、その対訳は辞書より遥かに多様になっている。以下、その多様な日本語訳を分類して記述することにする。

2.1 ～するな（・～するなよ）

『中日辞典』（小学館・電子版）では、日本語の終助詞「な」は禁止・命令を表すと見なされている。村上(1993「命令文―しろ,しなさい」,pp. 68-115)は、「～するな」のかたちの命令文を制止的な禁止と予防的な禁止と否定的な態度・評価の表現に分類している。“别/不要……（了）”の日本語訳から見れば、緊迫した場面、強い要求を表す場合であれば、「～するな」に訳されるのが一般的である。

(1) 余司令咬牙瞪眼，狠狠地瞅着半个头颅扎进河水的王文义，又低吼一声：“不要动！”/余司令は歯がみして、流れに半ば頭をつっこんでいる王文義をにらみながら、小声で言った。「動くな!」（红高粱）（命令）

1. 例文は《中日对译语料库》(北京日本学研究中心、2003)によるものである。個々の例文の後ろに作品名のみ書いてある。
2. 『中日辞典』（小学館・電子版）と『中日大辞典』（大修館書店・電子版）参照（チャイニーズライター11、2018年版）。

(2) 我盼望着有一天有一只强有力的大手突然抓住我，命令我：“你的位置就在这里，不要再飘来荡去了。”/私は、いつの日か、一本の力強い大きな手が突然、私をつかまえて、「おまえの居場所はここだ。いつまでもふらふらするな」と命じてくれるのを待ち望んでいる。（人啊，人）**（命令）**

この2例では、波線部から分かるように、いずれも強い要求を表す命令文である。また、命令・依頼の意味を表す終助詞「よ」が用いられる場合も少なくない。この場合、命令の強さが和らげられることが多い。話し手はシテの言動に対して「警告・忠告・注意・提案」という否定的な態度を取りながら「しないこと」を求める。

(3) “好，不要丢石头了。我们还是到对面去找个地方坐坐，”觉民劝阻觉慧道。两个人便走上窄小的圆拱桥，到了对岸。/「もう石を投げるなよ。向う岸まで行って休もうや」覚民は覚慧に石を投げるのをやめさせて狭く小さな太鼓橋を渡って対岸に行った。(家) **(勧め)**

(4) “海外关系。你可别跟别人说。”/「外国との関係だとさ。他の奴には言うなよ」（插队的故事）**（注意）**

ところで、村上(1993)によると、「きき手への利益性や動作の抽象性にともなって、「〜するな」のかたちは、注意や忠告の意味をあらわすようになる(p.98)」。それは日本語の「〜するな」が否定の命令文でありながら、命令以外の意味も表すことができるということだろう。ただし、強い要求や命令を表さない場合には「〜するな」以外の表現形式がより用いられやすいのも事実である。

2.2 ～しないで（・～しないでよ・～しないでね）

この場合、文レベルでは、話し手は聞き手の言動に対して「忠告・注意・願い」という否定の態度を取りながら「しないこと」を求める。強い命令(要求)にならないのが一般的である。

（5）“一失足成千古恨啊，振环！答应我，即使与我离了婚，也不要与这个冯兰香结婚。你们不会幸福的。答应我，答应我吧！”/「一失、千古の恨みを成す!振環、お願い。たとえ私と離婚しても、馮蘭香とは結婚しないで。あなたがたは幸せになれないわ。お願いだから!」（人啊，人）（**願い**）

（6）她却眼圈红了，说：“×先生，请你不要再说了吧！”她的下泪，很出我意外，我从此就不再提。/彼女は眼のまわりを赤らめた。「X さん、お願いだから、もうおっしゃらないで！」彼女が涙をこぼしたのは、意外だった。それから私は二度とこの件を話題にしたことはない。(关于女人)（**願い**）

また、「～しないで」に終助詞の「よ」または「ね」を付ける場合も少なくない。『中日辞辞典』(小学館・電子版)では「よ」が命令・依頼を表し、中国語の“吧、呀、啦、啊”に、「ね」が同調・回答を求め、“吧、啊、呀、啦”に相当するとみている。

（7）“现在枪声又响了，好像很近。你要小心警醒着，千万不要睡熟，有事情时我好马上喊醒你。”/「今また銃声がしたのよ。近いようだわ。用心してなきゃあだめよ。熟睡してしまわないでよ。万一の時にはすぐに起してあげますからね」(家)（**言い含める**）

（8）“随便找哪个，股东，经理，”婉小姐拿起东西走了，又回头叮咛道，“明天就去呀，可不要忘记。”/「誰でもいいわよ、主人でも番頭でも」彼女は化粧品を抱えて出て行きながら、振り返って念を押した。「あしたよ、忘れないでね」(霜叶红似二月花)(念を押す)

例(7)では「よ」によって「言い含める」の意をよりはっきりさせ、例(8)では「ね」によって「念を押す」「言い聞かせる」の意を強めている。

ここでは一つの事実が判明した。それは「〜するなよ」は言えるが、「〜するなね」は言えない。それに対して、「〜しないでよ」も「〜しないでね」も言える。この事実からも、「〜するな」と「〜しないで」の命令の度合いに差があると言える。

2.3 〜してはだめだ(〜してはだめ＜だ＞よ、〜しちゃだめだ、〜しちゃだめ＜だ＞よ)

この場合、“别/不要……(了)” 構文に表されている話し手の(強い命令以外の)態度がいっそう鮮明になる。禁止や制止のような強い命令(要求)とは考えにくい。それで、日本語に訳すとき「〜してはだめだ(〜してはだめ＜だ＞よ」などの否定的な命令表現が選択されているのである。

(9) 父亲叫着：“娘啊，你的血别往外流啦，流完了血你就要死啦。”/父は叫びつづけた。「母さん、血を出しちゃだめだ。血がなくなったら死んじまうよ」(红高粱)(**希求**)

(10)“你不要瞒我，你的眼睛已经哭肿了。…” /「ごまかしてもだめ、眼が泣き腫れてるわ。…」(家)(**説得**)

(11)浦琼英劝她：“你不要去延安了!”/浦瓊英は止めた。「延安にはいっちゃだめ」(我的父亲邓小平)(**勧め**)

(12)“晓梦，这是我偷偷藏着的，你可千万不要让别人看见啊！”我说。/「暁夢、あたし、これ、ずっとこっそり隠してたんだ。あなたも絶対、他の人に見せたらだめだよ！」(轮椅上的梦)(**注意**)

(13)“听见没有？你一个字儿也不要讲出去，行不行啊？你答应吧，好二林兄弟！” /ねえ、聞いてるの？一言も口にしちゃだめよ。いいわね？うんて言って、二林！」(金光大道) **(願い)**

例(9)はシテのコントロールできない出来事である。この例は命令(禁止)を表すというより希求を表しているといったほうがいい。また、例(10)は説得の意であり、例(11)は“劝”という語からも分かるように、強い否定の命令ではない。さらに、例(12)は“千万”という語から「注意」という意であり、例(13)は“你答应吧，好二林兄弟！”からシテに頼んでいるということが分かる。

2.4 ～しないでほしい

「～しないでほしい」に訳されるのは、基本的に、“别/不要……(了)”が「希求・願い」などを表す場合である。

(14)将来如果有人研究插队的兴亡史，不要因为感情而忘记事实。/将来もし農村移住の興亡を研究する人が現れたら、感情のために事実を忘れないでほしい。(插队的故事) **(希求)**

(15)方丹，爸爸告诉你这些事是希望你不要着急，也希望你能相信爸爸妈妈，　相信我们一定会带你去治病，也要相信你的病一定能治好。/パパがこれを話すのは、方丹に焦らないでほしいし、パパやママを信じてほしいからだよ。パパたちはきっと方丹を北京につれていくし、病気もきっと治せる。(轮椅上的梦) **(希求)**

例(14)では、“不要……(了)”という構文のところに、シテへの作者の「希望」を書き込んでいる。また、例(15)では、“爸爸告诉你这些事是希望你不要着急”の“希望”から、“爸爸”のシテへの「希求」しか表していないことが分かる。強い命令からかなり離れている意味用法なので、当然なことであるが、柔らかい日本語の表現形式を選んだのである。

2.5 〜しないでくれ＜よ＞(〜しないでください＜よ＞・〜しないでちょうだい＜よ＞)

本節は、「〜しないでくれ」などが使われている場合である。やはり原文の意味に対応するために「〜しないでくれ」などを選択したと考えられる。原文にはいずれも「願い・希求」などの話し手の態度が含意されている。

(16)“我求你，孙悦！不要剥夺我这一点希望了吧！你的将来比我幸福，你有何荆夫……”他的嘴角又牵动了。/「頼む、孫悦!ぼくのたったひとつの希望を奪わないでくれ!君の将来はぼくより幸福なんだ。君には何荊夫がいる……」。口もとがまた痙攣した。(人啊，人)（**願い**）

(17)王一生呆了呆：“千万不要跟什么书记说，…”/王一生はぎょっとしたふうに言った。「その書記さんとやらには絶対しゃべらないでくれよ。…」（棋王）（**願い**）

(18)“太太，请你不要把我送走，我愿意在公馆里做一辈子的丫头。…”/「どうかあたしを行かせないでください。あたしはこちらで一生召使でいたいのでございます。(家)（**願い**）

(19)“不要挖苦我罢，”琴带笑地说。/「ひやかさないでちょうだい」琴は笑いながらいったが、(家)（**願い**）

この場合、中国語の例文には“求、千万、请”などがよく用いられている。それによって、否定的な命令の度合いが軽減されている。それに対して、日本語訳が「〜しないでくれ」などになったと考えられる。

また、「〜しないでくださいよ」、「〜しないでちょうだいよ」の訳文はなかったが、「あんまりジロジロ見ないでちょうだいよ。/请你别太盯着看我。」(作例)、「嘘ばっかり言わないでくださいよ。/不要净说假话。(作例)」のような例文もあるだろう。

2.6 〜(するの)はやめて（・〜するのはやめてくれ・〜の〈は〉よす）

本節は、“别/不要……(了)”構文を否定語彙「やめる」「よす」に訳される場合である。翻訳者はやはり本節における“别/不要……(了)”構文の意味特徴に注目して多くの選択肢の中から「〜(するの)はやめて」などを選んだと思われる。

(20)他一定会提出意见：“请不要胡编乱造！你这情节缺乏合理性！”/たぶん“変な作り話は止めてくれ。筋が通らないじゃないか”と言うだろう。（钟鼓楼）**(願い)**

(21)吕瑞芬见男人喝了一碗粥，放下碗筷又要走，就说：“今晚上你不要去了。”/吕瑞芬は夫がカユを一碗すするともう箸を置いて出かけようとするので、「今夜はもうよしなさいよ」(金光大道)**(やめるように勧める)**

(22)“孙老，你就不要带头发牢骚了嘛！…”/「孫大先生､愚痴はやめましょうよ!…」(人到中年)**(勧め)**

(23)良材慌忙站起来接了，恭恭敬敬说：“谢谢。又要你自己拿来，婉弟，不要当我是客人。”/良材はあわてて立ちあがり、かしこまっていった。「ありがとう。わざわざ持って来てもらっちゃって。もうお客さま扱いはやめて下さいよ」（霜叶红似二月花）**(願い)**

この4例はいずれも話し手のシテへの願いや勧めなどを表している。例文の中の関連語彙や文脈などによって、命令(要求)の強さがある程度軽減されている。

2.7 ～するんじゃない(よ)

「～するんだ」というかたちは命令を表すことができる。それに対して「～するんじゃない」も否定の命令を表すことができる。「～すべきではない」、「～するな」に近いと思われる。(～するのだ・～するのではない)

(24)祖父冷笑了一声，威严的眼光在他的脸上扫来扫去，然后说：“你不要扯谎，我都晓得了。/祖父は冷やかに笑って、そのきびしい眼で、彼の顔をじろじろと眺めてからいった。「でたらめをいうんじゃない。みんな知っとる。(家) **(叱責・評価態度表現)**

(25)母亲轻轻的捏了我一把，附在我的耳朵上说：“你不要说出去。”/そっと、私をつねってから母は耳元で、ささやいた。「誰にもいうんじゃないよ」(关于女人) **(言い聞かせる・言い含める)**

(26)“你不要动它！”奶奶说。/「触るんじゃないよ!」祖母は言った。(红高粱) **(注意)**

(27)我们应当本着艰苦奋斗的精神，发动群众生产自救，不要单纯依靠国家救济。…。/われわれは刻苦奮闘の精神にのっとって、大衆をただ国からの救済に頼るのではなく、…。(金光大道) **(考え・意見)**

例(24)は話し手のシテへの叱責の態度を、例(25)は誰にも言わないようにシテに言い含めるのを、例(26)はシテへの注意を表している。例(27)は、読み手への書き手の自分の考えや意見を表している。この節でも、やはり具体的な構文要素に縛られた“不要……(了)”文の意味の強弱に対応するために「～するんじゃない」などを選択したと考えられる。

2.8 ～しないように(する)

“不要……(了)”が日本語の「～しないように(する)」に訳されたものも少なくない。当然なことであるが、原文のどの例も、緊迫した場面や強い否定の命令(要求)に用いられているのではなく、その否定の命令の度合いが軽減され、「目的・注意・勧め・希求・言い聞かせ」などの構文的な含みがある場合である。以下の例(28)(29)はシテへの注意であり、例(30)はシテへの希求であり、例(31)(32)はシテへの勧めである。

(28)周恩来最注意秘密工作，提倡女同志梳髻子，穿绣花鞋，住机关要两夫妇，不要革命腔。/周恩来同志は人一倍機密保持に注意し、女性は髪を結い上げ、刺繍入りの靴を履いて古風にし、アジトには夫婦、一組で住み込み、革命風を吹かせないようにと注意していました。(我的父亲邓小平)**(注意)**

(29)里外屋之间，如果不挡屏风，至少应该挂个门帘，不要让客人看见你们的床铺……”/奥の部屋との仕切りのところには、屏風か、少なくとものれんがいりますね。来客にベッドが見えないようにしなきゃ……」（钟鼓楼）**(注意・目的)**

(30)特别是你，爸爸！我希望你不要去干涉这件事！到头来只有你自己出丑！”/特にお父さん、ぼくはあなたがこの件に介入しないよう望みます。結局はお父さんが恥をかくだけですよ!」(人啊，人)**(希求)**

(31)“方丹，我劝你不要再对维娜抱什么幻想。…”/「方丹、これ以上、維娜に幻想を持たないように勧めるよ。･･･」（轮椅上的梦）**(勧め)**

(32)“方丹，小曦，你们都不要难过了，让我们都向这位英雄学习吧。”/「方丹、小曦、あまり悲しまないようにな。ぼくたちはみな、この英雄に学ぼうじゃないか」（轮椅上的梦）**(慰め)**

2.9 ～してはいけない(・～してはならない)

一般に中国語の“不能、不准”に対応すると見られているが、実際、“不要/别……(了)”を「～してはいけない・～してはならない」に訳されている例も少なくない。やはり強い命令や緊迫した場面ではない。

(33)薛纪跃就一直不许父亲把当过喇嘛的事讲出去，包括即将娶进门的

这位新娘子，薛纪跃也一再叮嘱父亲不要同她提起这一段。/薛紀躍は前々から父に、昔、ラマになったことを誰にも言うなと口止めしていた。今日嫁いでくる花嫁にもけっしてこのことを話してはいけないと、何回も念をおした。(钟鼓楼)**（言い含める）**

(34)船里客人们闷闷地在打瞌睡。茶役乌阿七忽然站在客舱门口的小扶梯上，大声叫道：“当心呀，大家不要出去。快到小曹庄呢！”/船室の乗客たちは、退屈そうに居眠りしていた。ボーイの烏阿七が、突然、船室の戸口の階段に姿をあらわした。「みんな用心してください。外に出てはいけませんよ。もうすぐ小曹荘ですから！」(霜叶红似二月花)**（注意）**

(35)我对憾憾说：“不要再送来了！再送，我就要跟你妈妈算账，付给你们饭菜钱了！”可是憾憾不听，她说：“就算我送给你吃的，不行吗？”/「もう持ってきちゃいけないよ。こんど持ってきたら、計算して食費を払うからね」。憾憾にそう言っても、あの子はきかなかった。「あたしの贈り物だとしてもいけない?」(人啊，人)**（やめるのを勧める）**

(36)时时提醒着人们不要步他的后尘，/折につけ、彼の真似をしてはならぬと人に忠告していた。(小鲍庄)**（注意）**

例(33)の“叮嘱”、例(34)の“当心呀”、例(35)の波線部、例(36)の“提醒”から、どれも、強い否定の命令ではなく、その度合いが軽減されていることが分かる。日本語訳の多様化は、その根本的な原因がまさに否定の命令の意味の強弱にある。

2.10 ～しないほうがいい

「～するほうがいい」という日本語訳になると、原文の中国語の例文は、話し手の意見や考えを述べるようになる。それによって聞き手(シテ)へ働きかけている。否定の命令の度合いからみれば、禁止の意味がかなり和らげられている。

(37)他拒绝再剖下去，并建议不要给大家吃那些鱼，谁知连长却满不在乎地说：“怕什么？鱼肠扔了就是，鱼肉照样吃！”/彼はそれ以上やるのを拒否した。そして食べないほうがいいとも意見を出した。それでも中隊長は“それがどうした。ワタを捨てたらいいだろう。魚の肉とは関係ない”とうそぶいていた。（钟鼓楼）**（提案）**

(38)“也没有说得那么严重。”陆文婷说：“焦副部长，你是抽烟的吧？最好手术前不要抽烟。”/「そんなに難しくお考えにならなくてもよろしゅうございます」「焦次官、おタバコは?できましたら手術前にはお吸いにならない方が……」（人到中年）**（勧め）**

(39)他这人以前从没偷过东西，我想他不至于打今儿个变成了‘佛爷’，我希望你们不要太难为了他。/人の物を盗ったことなんかなかったし、今日急に盗みを働くとは思えないんですがね。あまり彼を困らせないほうがいいと思うんだけど……。（钟鼓楼）**（希求）**

例(37)の“建议”、例((38)の“最好”、例(39)の“希望”などの語彙の意味特徴によって否定の命令の意味の強さが軽減され、提案文、勧め文、希求文になっている。

2.11 ～しなくともいい〈よ〉（～しなくてもいい〈の〉よ、～しないでいい）

中国語の“别/不要……(了)”構文は、「不必要」に近い意味を表す場合がある。この場合、「～しなくともいい」などによく訳される。

(40)我很想说：“爸爸，不要念，我们都已经知道了……”/私は「パパ、読まなくていいよ。あたしたち、もう知ってるんだ……」と言いたかった。（轮椅上的梦）**（不必要・願い）**

(41)佟兰一边朝外走一边说：“舅，您别愁。等我找我爸爸去。”/佟蘭が出て行きながら声をかけた。「おじさん、心配しないでいいよ。

とうちゃん探してくるからね」(金光大道) **(不必要・配慮)**

(42) “亲爱的朋友，不要为我而悲伤，我是一个平凡的女人，但是我完成了我应该完成的事，我是幸福的，你呢？”/彼女はくびをふり、私の耳もとに小声でこうささやく。「いいえあなた、私のために悲しまなくていいのよ。私はありきたりの女だけどやるべきことをやりとげたのだから、幸せよ。あなたは？」（天云山传奇）**(不必要・慰め)**

(43) “陆大夫，你先坐，坐嘛，不要急。要检查，恐怕还要到你们的暗室里去吧！”/「陸先生、まあまあお座りになってください。お急ぎにならなくても、どうせ検査でしたら、暗室に入らなければならないんでございましょう！」(人到中年) **(不必要・配慮)**

この 4 例はどれも「不必要」に近い意味解釈が可能である。たとえば、例(40)は波線部から、既に知っているので読む必要がないことが分かる。また、例(41)(42)(43)も同様な解釈が可能である。

2.12 ～いらない（・～必要はない）

この節も「2.11」と同様で、“别/不要……(了)” 文が「不必要」に近い意味を表している。当然なことであるが、否定の命令の強さが軽減されている。

(44)中央指示：情况紧急时机，一切由刘陈邓临机处置，不要请示。/中央は、状況が緊急なときには、いっさいを劉・陳・鄧の臨機応変の処置に任せ、中央に指示を仰ぐ必要はないとした。(我的父亲邓小平) **(不必要・配慮)**

(45)王小姐……，热心地又说道：“一时也讲不完。你想想还有什么要我告诉你的，请你尽管问罢。咱们以后是同学了，你不要拘束。”/王有容は……、それでも、親身な調子でつづけた。「とてもいっぺんには話しきれないわ。聞きたいことがあったら、何でもいいからいってちょうだい。これからは一緒に勉強するんですもの、遠慮なんかいらないわよ」(霜叶红似二月花)(**不必要・励み**)

(46)“老游，不要有顾虑。出了问题有我嘛！”/「游君、心配いらんよ。問題が起こったら、わしが控えているんだ」(人啊，人)(**不必要・励み**)

例(44)(45)(46)ではそれぞれ、“不要”と“请示”、“不要”と“拘束”、“不要”と“有顾虑”の組み合わせ及び前後の文脈から、その意味特徴を「不必要」に近いと解釈できる。さらに、3例には含みとして「配慮(44)、励み(45・46)」が含意されている。

2.13 〜することはない(よ)

この節の“别/不要……(了)”文は、「2.11」「2.12」と同様で、「不必要」に近い意味を表す。それぞれの文には、構文的な含みとして「勧め(47・48)、注意(49)」などが含意されている。

(47)“老赵啊，群众的议论不要听！群众嘛！我从来不计较个人恩怨。我喜欢你这种倔脾气。……”/「趙さん、どうせ大衆の言うことじゃないの。いちいち、耳を貸すことはないよ。ぼくは個人的な恨みを持っちゃいない。君のような意地っ張りが好きなんだ。……」(人啊，人)(**不必要・勧め**)

(48)一个庄住着，人不亲土亲，你可不要多心啦。/一つ村に住むもん同士じゃねえか。どんなに仲が悪くたって、おんなじ土地者だ。やたらに気をまわすことはないぜ」(金光大道)(**不必要・勧め**)

(49)“不顶事了，再不要瞎糟踏了钱，”他说。“我死了你就好好介打上两眼窑，”/「行ってもしょうがあるめえ。これ以上銭を無駄に使うことはねえだ」と言うのだ。「わしが死んだら窰洞をちゃんとふたつ造るだ」とじいさんは言う。(插队的故事)(**不必要・注意**)

2.14 意訳

本節は、否定語彙、反対語、または意訳される場合である。

(50)呆子就执意要替老头儿去撕大字报纸，不要老头儿劳动。/彼はそこで老人にかわって古くなった壁新聞を破りに出、老人に楽をさせようとした。(棋王)(**使役・配慮・目的**)

(51)“够了，不要再看了。”站在克定背后的觉慧用严肃的声音说。/「もうたくさんです」克定のうしろに立っていた覚慧はきびしい声でそういった。(家)(**中止**)

(52)“对，”黎江信任地拍拍维嘉的肩头，“首先我们三个人不要告诉她。”/「よし」黎江は頼もしそうに維嘉の肩を叩いた。「まず、この三人が黙ってることだな」(轮椅上的梦)(**考え**)

(53)高二林脸上又一红：“你不要胡说八道！”/「なに言ってやがる！」高二林の顔が朱にそまった。(金光大道)(**不満・評価**)

例(50)では“不要老头儿劳动”が意訳されている。例(51)では“够了，不要再看了。”の中の“够了”だけが訳され、“不要再看了”が省かれている。また、例(52)では“告诉”と反対の意味を有する“黙る”を使っている。例(53)では「～やがる」で、相手への不満・恨み・軽蔑などを言い表している。

2.15 使役

この場合、基本的に“不要”が使われ、日本語の「させない」という意味に解釈することが可能である。

(54)“……其实凭良心讲，爷爷不要你出去，还是为你好。”/善意に解釈すれば、爺爺がおまえを出さないのも、おまえのためを思うからなんだよ」(家)(**使役**)

(55)“三少爷，我想跟你说两句话。……”她极力忍住眼泪，不要哭出声来。/「三少爺、いまほんとうにお暇がありませんの?ちょっとでもいいんですけど」彼女は一生けんめい涙を抑え、同時にまた彼女の声が涙声にならぬように気を使った。（家）**（使役）**

また、使役の意味がやや弱くなると、「～してほしくない」という解釈が可能になる。

(56)“你不要我回来？”小翠艾怨地问。/「戻ってほしくないの」小翠子が恨めしげに尋ねた。（小鲍庄）**（ほしくない）**

(57)流苏笑道：“哦，你懂了。”柳原道：“你好也罢，坏也罢，我不要你改变。难得碰见像你这样的一个真正的中国女人。”/流蘇はにっこりして、「あら、お気づきになりまして」「良いにしろ悪いにしろ、僕はあなたに変わってほしくないんです。あなたのような本物の中国女性って、そうめったにお目にかかれませんからね」（倾城之恋）**（ほしくない）**

2.16 その他

なお、例文が少ないものの、次のような日本語訳の例文もある。

「～はごめんだ」「～するわけにはいかない」「～なかれ」「～しないことにする」「～しなければならない」「～すべきではない」「～ことがあるまい」「～しないこと」「～していいはずがないだろう」「～したらいいや」「～しない」「～（形容詞）くない」

(58)“我也不想生在有钱人家做小姐，我没有这个福气。我只求你不要送我出去。我愿意一辈子在公馆里头服侍你，……”/「あたしは金持の家に生れてお嬢さまになることなんか考えませんわ。そんな幸せはありませんもの。あたしの願いは、ただあなたがあたしをこのお邸から追い出さないこと。一生涯お邸でご奉公します。…」(家)**(願い)**

(59)“不要怕，你坐好，你看现在月亮大明了，景致多么好！”琴拍着淑贞的肩头说。/「こわくはないわよ。もう月がすっかり明るくなって、とてもいい景色よ」琴は淑貞の肩をそっとたたいていう。(家)**(励み)**

(60)“奚流同志提醒是必要的，批评么，应该光明磊落，不要怕打击报复嘛！我们是一贯反对报复的。…”/「奚流同志の注意は必要です。批判というのは公明正大にやるべきで、報復攻撃を恐れるべきてはありません。われわれは一貫して報復に反対しているのです。…」(人啊，人)**(考え・励み)**

3. 多様な日本語訳について

以上の各節の記述と分析から、“别/不要……(了)”文は、多様な日本語に翻訳されていることが明らかである。多様な日本語訳が可能なのは、日本語に同じ意味の表現形式がたくさんあるからというのではなく、具体的に使われている個々の“别/不要……(了)”文に含意する命令的な意味の度合い(強弱)によるものだと思われる。このような個々の例文の間に存在する微妙な意味的な違いについて、翻訳者が日本語の多様な表現を使っているのである[3)]。

(61)余司令严厉地说：“兔崽子，别动！”/「臆病者、動くな!」余司令が叱りつけた。(红高粱)**(命令)**

3. 筆者(2017, pp. 67-82)は、<试论现代汉语的“别/不要……(了)”>という論文で“别/不要……(了)”構文の意味的な強弱について考察した。本論文では、“别/不要……(了)”構文は基本的な意味として“否定性祈使”を表すとしたうえで、その派生的な“禁止、劝阻、提醒、叮嘱、安慰、要求、请求、催促、关心、希求”などは、文脈によるものか、または構文的な特徴によるものか、さらに語彙の意味特徴によるものか、のいずれかであると認めた。

(62)张金发左右看看，很神秘地告诉他：“你别总追老罗了，他跟当地干部有矛盾；他们开了好几次会，都吵起来啦！听说，咱这儿的工作差不离要收尾，工作队慢慢要撤人，他可能要先走。”/張金発は左右を見回してから、いわくありげに言った。「おめえ、羅さんにつきまとわねえ方がいいぞ。あの人は、地元の幹部とうまくいってねえんだ。何べん会議やっても喧嘩になるんだと。なんでも、ここの仕事もあらかた片付いたんで、工作隊もそろそろ引き揚げるという話だが、あの人は先発させられるらしいぞ」(金光大道)**(注意)**

(63)母亲轻轻的捏了我一把，附在我的耳朵上说：“你不要说出去。”/そっと、私をつねってから母は耳元で、ささやいた。「誰にもいうんじゃないよ」(关于女人)**(言い含める)**

上記の3例のうち、翻訳者は、翻訳の際、(61)は、命令的な意味が大変強いので、「～するな」を選択し、(62)(63)は、強い命令から「注意する・言い含める」に弱化され、「～ほうがいい(62)」と「～んじゃないか(63)」に訳されたと考えられる。

多様な日本語訳に対する検討は、恐らく“别/不要……(了)”構文の意味特徴を解明するのに大変有益なことであろう。

ただし、前にもふれたように(2.1節)、「～するな」も、命令的な意味が弱い場合でも使われる。たとえば、次の例である。

(64)我们也劝明娃别胡想，来北京不正是为了把病治好么。/私たちは明娃につまらんことを考えるな、北京へ行くのはその病気を治すためじゃないかと諭した。(插队的故事)**(勧め)**

この例は、前後の文脈などから、強い命令ではないことが明らかである。しかし、「～するな」が使われている。恐らく文脈や文構造の助けが必要になるだろう。

4. おわりに―意志性のない用法と評価用法―

“別/不要……(了)”構文をシテの存在しない自然現象に使われる場合がある。また、もっぱら話し手の評価を表す場合もある。このような場合でも、翻訳者の工夫が随所に見られる。

(65)他们烧香祷告：天呀，再寒冷起来吧！地呀，再结起冰来吧！不要毁了我们这座城市。我们，对于寒冷早已习惯了。/天よ、今いちど寒冷に!地よ、ふたたび凍てつけよ！われらが街を破壊するなかれ。われらはすでに寒冷に慣れたり。(人啊，人)（**希求・非コントロール**）

(66)老天爷，可别下雹子！/天よ、雹を降らさないでくれ！(插队的故事)(**希求・非コントロール**)

例(65)(66)は、自然現象に対する希求に過ぎない。人間のコントロールできない出来事である。

(67)高二林脸上又一红：“你不要胡说八道！”/「なに言ってやがる！」高二林の顔が朱にそまった。(金光大道)(**不満・評価**)

(68)「そんなに面倒臭いなら始めからするな。……」(石原慎太郎、村上, p. 101) (例53再掲) / “那么麻烦的话，一开始就别/不要干。”(**話し手の考えまたは評価・過去**)(筆者訳)

例(67)(68)では、命令や要求が第1位ではなくなり、主に評価を表している。

参考文献

袁毓林(1991)〈祈使句式和动词类别〉,《中国语文》第 1 期,pp. 10-20。

邵敬敏、罗晓英(2004)〈“别”字句语法意义及其对否定项的选择〉,《世界汉语教学》第 4 期，pp.18-26。

王红旗(1996)〈动词的特征与“别 V 了$_1$”的歧义指数〉,《语文研究》第 2 期，pp. 14-19。

彭可君(1990)〈副词“别”在祈使句里的用法〉,《汉语学习》第 2 期, pp4-9。

彭飞(2012)〈汉语对话中“别”类否定祈使句的话语功能研究〉,《广东外语外贸大学学报》第 2 期，pp. 42-46。

村上三寿(1993)「命令文―しろ, しなさい―」,『ことばの科学』6,むぎ書房, pp. 68-115。

森英樹（2006)「3 つの命令文：日英語の命令文と潜在型/既存型スケール」、『言語研究 129』, pp. 135-160。

尾崎奈津(2007)「日本語の否定命令文をめぐって」,『日本語の研究』第 3 巻 1 号, pp. 65-78。

李奇楠(2011)「禁止表現の日中対照」,『日本語コミュニケーション研究論集』第 1 号,pp.103-112。

王学群(2017)〈试论现代汉语的“别/不要……（了)”〉,『語学教育研究論叢』第 34 号，pp.67-82。

王学群(2019)〈谈“别/不要……”和“别/不要……了”〉,『語学教育研究論叢』第 37 号，pp.15-28。

汉日否定极性副词的极性敏感特征分析*

Analysis of the Polarity Sensitivity of Negative Polarity Adverbs in Chinese and Japanese

鄭　玉貴
ZHENG Yugui

概要

否定極性副詞は否定的文脈に依存し、否定構造とのみ、あるいは否定構造と共起する傾向を持つ特色のある副詞の一種類である。本稿は否定極性副詞を研究対象として、判定基準を三つ設定し、中国語と日本語の否定極性副詞を選出した。各否定極性副詞は否定的文脈への依存度によって否定極性敏感度の強弱も異なっているため、中日否定極性副詞の内部で下位分類も行った。否定極性副詞は、否定的文脈への依存度によりまず大まかに典型的極性副詞と非典型的極性副詞に分けられる。文中に共起する許容表現の種類により、さらに極強否定極性副詞、強否定極性副詞及び弱否定極性副詞に分けられる。統計データを考察し、中国語に比べて、日本語の否定極性副詞は数がより多く、否定極性構文規約をより厳しく遵守することが分かった。最後に両言語の差違を生じさせる要因について解釈を試みた。

关键词：否定极性副词；显性否定；隐性否定；极性敏感

* 基金项目：国家社科重大招标项目“对外汉语教学语法大纲研制和教学参考语法书系（多卷本）”（17ZDA307）；上海市哲学社会科学规划项目“基于范畴互动的汉日因果复句比较研究”（2017BYY006）阶段性成果。

1. 引言

多数语言中都存在很多一般只用于否定性语境的表达，如汉语中的“毫发、八竿子、认账”等，英语中的“any、at all、budge an inch”等，日语中的「必ずしも、断じて、比類」等，这些表达一般被称为否定极性[1)]词语。可见，否定极性词语是多种语言中都存在的一种跨语言现象，在类型学上具有重要的研究意义和价值。否定极性副词是否定极性词语中的一个小类，是指一些对否定性语境有依赖性，经常或只用于否定结构的副词。相较而言，汉语和日语否定极性副词的数量远多于英语，日语该类副词的绝对数量甚至比汉语还要多很多。因此，本文拟以汉日语中的否定极性副词为研究对象，通过考察它们在实际使用时的语境分布状况，对该类副词成员的极性敏感[2)]特征差异进行对比分析，以探求这类特殊语言现象的内在规律，为类型学的跨语言共性提供参考。

2. 汉日否定极性副词的成员及数量

2.1 汉日否定极性副词的相关研究

副词研究虽是汉语语言研究热点之一，但是基于极性视角出发的副词研究起步较晚，且主要集中于个别副词的意义分析以及否定极性副词的数量统计上，如郑剑平（1996）、胡清国（2004）、孙琴（2005）、陈佳宏（2006）、葛金龙（2012）、宋伟萍（2013）等[3)]。以往日语语言研究中涉及到日语否定极性副词成员和数量的主要有本田晶治（1981）、原田登美（1982）、山田小枝（1997）、工藤真由美（1999）、俞晓明（1999）、王华伟（2007）等[4)]。

通过分析以往的相关研究，我们发现汉语和日语的否定极性副词都不是完全封闭的，各家所界定的成员和数量尚有争议。这其中可能存在以下几个方面的原因：（1）出于研究目的的不同，各家所使用的依据、标准会造成所筛选的研究对象的成员和数量不同。（2）否定极性副词是只能或经常出现在否定性语境中的一类副词，因此界定标准之一就是该类副词出现在各种否定性语境中的频率高低。此外，各家对否定表达的界定标准以及对共现频率要求的严格程度等不同也会造成最终筛选的成员和数量不同。（3）无论在汉语还是日语中，副词都是一个相对开放的词类，难以穷尽其数量。一些经常相对固定地在句中充当副词性用法来使用，但尚未彻底凝固成词的表达，如“再也、一点儿也”等尚未被部分虚词辞书收录。针对这类在词性上尚存在争议的表达，不同学者所采取的态度也是不同的。（4）否定极性副词自身也属于一个半封闭词类，我们难以从数量上将其所有成员都筛选出来。这是因为否定极性副词与其他的语言现象一样始终处于发展变化之中。在语言发展的历史长河中，一些否定极性副词可能已经消失了或者逐渐失去了极性敏感特征，进而使用时可以自由地与肯定否定表达共现。一些原本无极性敏感特征的词语也可能会逐步表现出对否定性语境的亲和性，进而发展为否定极性副词。（5）根据是否区分普通话和方言，口语和书面语，现代汉语和古代汉语等也会导致否定极性副词成员数目的不同。

2.2 本文对否定极性副词的界定

本文的研究对象拟主要采用以下 3 条判定标准相结合的方式进行界定：（1）首先参照辞书解释。该类词在汉日词典中的释义大部分已经标注出“只在否定句中使用”、“多用在否定句中”、“多用于反问句”、「下に打ち消しの語を伴って」、「下に反語や打ち消しの語を伴うことが多い」、「多く下に打ち消しの語を伴って」等。（2）然后基于语料库统计比例验证[5)]。我们认为否定极性副词与否定结构共现的比例应该远高于肯定结构，至少达六成以上；（3）最后考察其在实际使用时与肯定结构搭配是否比较受限，但与否定结构搭配则较为自由（参看郑玉贵 2019：141-148）。对于尚未作为词条被收录进辞书中的词语、古语以及方言色彩极其浓厚的词语本文暂不收录。

在吸取以往众家之见合并取最大集的基础上，参考以上原则进行筛选，最终确定了本文的具体研究对象，具体如表 1 所示。

关于本文根据相关标准界定出的否定极性副词成员，拟做以下几点说明：（1）汉日语中很多词是多义词，本文所说的否定极性副词并不要求其所有义项都表现出否定极性敏感特征，其中至少有一个义项具有此特征就可视其为成员。如在《现代汉语词典》（第 7 版）（2016：713）中，“绝”共有八个义项，兼跨动词、形容词和副词三个词类，而只有其中的第七个义项（作副词，表“绝对”）才只用在否定词前，如“绝无此意”；根据『デジタル大辞泉』，在现代日语中副词「なかなか」主要有两个义项，只有第二个义项才标明有「多くあとに打消しの語を伴って」，表「容易に実現しないさま」，如「電車がなかなか来ない」。（2）本文对否定极性副词的定义是对否定性语境有依赖性，只能或经常与否定结构共现的副词。我们通常希望在理想化的状态下考察语言事实，然而自然语言中的使用状况主要是看出现频率的高低，而非绝对出现或绝对不出现。因此，所谓“依赖性”主要指该类词被否定性语境允准的频率远远高于被肯定性语境允准的频率，或者根本无法被肯定性语境允准。（3）本文对汉日否定极性副词的概括并不是穷尽性的，对于常用于书面语的和常用于口语的词汇也未作区分。

表 1 汉日否定极性副词成员表

语种	词 例	数量
汉语	毫、丝毫、绝、决、从、从来、千万、万、万万、切、并、又、断、断断、断乎、死、死活、概、一概、根本、压根儿、始终、全然、了（liǎo）、迟迟	25 个
日语	毛頭、微塵も、決して、断じて、ゆめゆめ、つゆ、いささかも、少しも、ちっとも、全然、一向、まるきり、まるで、なにも、皆目、からきし、なんら、とうてい、おさおさ、何一つ、二度と、あながち、一概に、たいして、さして、金輪際、必ずしも、まんざら、さほど、それほど、あまり、別に、まさか、なかなか、めったに、よもや、どうにも、ついぞ、ろくに、さっぱり、とても、夢にも、露ほども、これっぽっちも	44 个

3. 否定极性副词的允准表达

蒋勇，龚卫东（2006：10）认为英语否定极性词的允准成分即包括否定词语（如 nothing，nobody，never 等）的辖域，也包括条件句的前提小句，蕴涵否定含义的词语（如doubt，be surprised等），有long after， before等引导的从句，是非疑问句等。据此，我们认为否定极性副词对否定性语境有依赖性，并不是说它们只能与否定结构共现，绝对排斥肯定结构。其实否定性语境是可以通过显性否定表达和隐性否定表达两种手段来实现的。

显性否定表达是常规的否定表达手段，是指通过添加否定词（“不”“没（有)”「ない」）实现的否定表达，通常也称为否定结构。否定极性副词应该在使用时具有强制性或倾向性要求与显性否定表达共现的特征，否则就没有资格进入该词类。如例（1）（2）汉语副词“死活”和日语副词「ちっとも」分别与带否定词“不”和「ない」的显性否定表达共现，如果去掉否定词变换成肯定结构，则句子不能成立。

（1）　可是你千万要想好，要是你爹娘死活不答应，你怎么办？（礼平《小站的黄昏》）

（2）　こんな嘘をついて送別会を開いて、それでちっとも恥かしいとも思っていない。/扯这样的大谎来开欢送会，却丝毫不以为耻。（夏目漱石『坊ちゃん』）

隐性否定表达是非常规性辅助形成否定性语境的手段，是指不添加否定词，通过词语否定（“消除”“排斥”「無理」「だめ」等）或句否定（虚拟条件句或反问句等）实现的否定表达。所谓的词语否定主要是指一些带有消极性、含有负面价值判断的隐性否定词语。袁毓林（2012：99-102）根据句法和意义的表现，将汉语的隐性否定动词划分出了“小心”类、“拒绝”类、“怀疑”类、“后悔”类、“避免”类等九大类别。工藤真由美（2000：115）从蕴含的语义角度将隐性否定词语分为「欠如・消滅」类、「不一致」类、「気にしない」类、「不可能」类、「困難」类、「負の評価」类等六大类。这些隐性否定表达虽然句法结构上没有否定词，但在语义上却形成了一种否定性语境，因此也可以允准部分否定极性副词。以下以汉语副词“一概”和日语副词「とても」为例进行说明。

（3）　财政厅农税处长对他们的《报告》不加分析地一概否定，言词这样偏激，态度如此粗暴。（《中国农民社会调查》）

（4）　「他の職業は、かず子には、とても無理だろう、とおっしゃっていました。」/“舅舅说，别的职业对和子说来恐怕不太合适吧。”（阿部公房『砂の女』）

汉语副词“一概”表示适用于全体，没有例外。除显性否定表达外，“一概”在使用时也可以被部分隐性否定词语允准，如例（3）的“否定”，其他还有“排斥、反对、剪除、取消、禁止、禁绝、拒绝、废弃、幻灭”等。日语「とても」作否定极性副词时表示某动作行为或事态无论如何都无法实现，除了显性否定表达外，也可以被隐性否定词语允准，如例（4）的“無理”，此外还有「駄目、不可能、～がたい、～かねる」等。

句否定是指一些特殊句类，如反问句、条件句、祈使句、疑问句等在内的非现实句，而非现实句和否定句是相通的。沈家煊（1999：103-106）认为非现实句是有标记句，现实句是无标记句。非现实句这样的有标记句式可以使极性词的分布发生颠倒，如一些一般不能出现在肯定句中的否定极性词当被用在一些非现实句中时，可以与肯定结构搭配，属于非现实肯定。在说话人判定命题真假时有程度等级之差，而非现实句较靠近否定句的一端（Givón 1990：321）：

先设	＞	现实肯定	＞	非现实肯定	＞	否定
想当然为真		强判定为真		弱判定为真		判定为假

疑问句虽无法直接传达否定义，但说话人对事态的不自信容易使疑问表达在肯定与否定之间处于游走的状态，形成某种较边缘的否定性语境。

（5）　天下之事，岂能一概而论。（金庸《天龙八部》）

（6）　如果大奎始终惦记着这笔钱，那他们以后就别想过太平日子了。（2005 年《故事会》）

（7）え、まさか「先生」って、ボクのこと？/她叫的‘老师’，难道是我？（乙武洋匡『五体不満足』）

例（5）的“岂”表反诘语气，这样的隐性否定都可以找到一个否定陈述句与之对应。使用“岂”表示说话人的强烈质疑，即“不能一概而论”。例（6）的“如果”引导虚拟条件句，该句隐含表达了在现实中“大奎始终惦记着这笔钱”的情况尚未存在，同时也传递了说话人负面消极的否定情绪。例（7）虽为疑问句，但整句表示对肯定表达「ボクのこと」的怀疑和不自信，虽算不上典型的否定表达，但在某种程度上与否定仍有相通性。

以上分析了允准否定极性副词的否定性语境形成手段，其中显性否定表达是最主要的允准表达，共现频率最高；隐性否定表达句法上虽是肯定结构，但能传达否定含义，是不可或缺的辅助否定表达手段，因此仅次于显性否定表达，也可以在句中允准部分否定极性副词。

4. 汉日否定极性副词的极性敏感特征

根据原型范畴理论，各范畴内成员之间有非典型成员和典型成员的区别，不同成员之间地位是不平等的，在非典型与典型之间形成一个非离散性的连续统。最典型的成员往往最具原型性，与较差、最差的成员之间存在等级差异（吴为善 2011：35）。本文研究的否定极性副词是指对否定性语境有依赖性，只能或经常用于否定结构中的一类副词，从这一定义可以看出其内部成员是具有等级差异的。以下拟根据各成员的允准表达对汉日否定极性副词的极性敏感强弱进行下位分类，具体分类结果如表 2 所示。

首先可以依据依赖否定性语境的程度强弱，将否定极性副词二分为非严格否定副词和严格否定极性副词。其中严格否定极性副词属于该类副词中相对典型的成员，是一些强制性要求与否定性语境共现，排斥肯定性语境的副词。根据允准否定表达手段的不同，严格否定极性副词内部又可以进一步分为“极强否定极性副词”和“强否定极性副词”，前者只能与显性否定表达搭配，而后者除了可与显性否定表达搭配，也可与隐性否定表达搭配，但两者都排斥肯定性表达。非严格否定极性副词是指一些使用时与否定性语境的共现表现出倾向性特征的副词。相对来说，这类副词对否定性语境的依赖程度比较弱，除了显性否定表达和隐性否定表达外，还可以非自由地搭配一些肯定性表达，否定极性敏感等级相对较弱，也可称为“弱否定极性副词”。

表 2 汉日否定极性副词的极性敏感类别表[6]

<table>
<tr><th colspan="3">极性敏感强弱[7]</th><th>汉语副词</th><th>日语副词</th><th>允准表达</th></tr>
<tr><td rowspan="4">严格类</td><td rowspan="2">极强</td><td>否定专用型</td><td>从、断、断断、断乎、决、概、毫、丝毫、万、万万、了（liǎo）</td><td>ちっとも、微塵も、毛頭、さして、つゆ、おさおさ、まんざら、何一つ、いささかも、よもや、めったに、ろくに、ついぞ、夢にも、これっぽっちも、露ほども、ゆめゆめ</td><td rowspan="2">显性否定表达</td></tr>
<tr><td>肯否兼用异义型</td><td>绝、死、并</td><td>无</td></tr>
<tr><td rowspan="2">强</td><td>否定专用型</td><td>千万、切</td><td>皆目、からきし、金輪際、必ずしも、決して、なんら、二度と、なにも、あながち、</td><td rowspan="2">显性否定表达；隐性否定表达</td></tr>
<tr><td>肯否兼用异义型</td><td>又、迟迟</td><td>一向、まるで、まるきり、到底、全然、まさか、とても、どうにも、なかなか、たいして、少しも、さっぱり</td></tr>
<tr><td>非严格类</td><td>弱</td><td>肯否兼用同义型</td><td>从来、根本、压根儿、死活、全然、始终、一概</td><td>一概に、さほど、それほど、別に、断じて、あまり</td><td>显性否定表达；隐性否定表达；肯定性表达</td></tr>
</table>

5. 汉日否定极性副词极性敏感的强弱类型

5.1 极强否定极性副词

“极强否定极性副词”是指一些只能被带否定词的显性否定表达允准的副词。其成员内部又可分成“否定专用型”和“肯否兼用异义型”两种类型。所谓“否定专用型”是指一些无论是单个义项还是多个义项，使用时都要求仅限于搭配显性否定表达的副词。汉语有“从、毫、丝毫、断”等 11 个成员，日语有「さらさら、まんざら、少しも」等 17 个成员。此处以汉语副词“丝毫”和日语副词「めったに」为例进行说明。

（8） 你对他丝毫不关心（＊丝毫关心），你可知他这次返家，将受到极大责罚？（亦舒《红尘》）

（9） 茶室は六畳ひと間の数寄屋風のもので、…、めったに戸をあけたことがない（＊ある）。/茶室有六张铺席大小，独立在庭院里，极少开过门。（水上勉『雁の寺』）

（10）わたしたちは、コレクションを素人のかたには、めったに見せない（＊見せる）ことにしているんです。/我们一直坚持不随意将收藏品拿给外行人看。（横田順彌『古書狩り』）

汉语副词“丝毫”表示极少量，《现代汉语八百词（增订版）》（2005：512）等多部词典都标注其“只用于否定句”。例（8）改成肯定结构“丝毫关心”句子不合法。根据『デジタル大辞泉』，日语副词「めったに」主要有两种用法，它们都要求与显性否定表达搭配，词典中标注了「下に打ち消しの語を伴って」。如例（9）「めったに」与否定表达共现表频率低，译为“极少开过门”。例（10）「めったに」表“胡乱、鲁莽"，与否定表达共现表“不不随意……、不胡乱……”。如果将谓语换成对应的肯定结构句子都将不能成立。像日语「めったに」这样虽为多义副词，但都要求与否定结构搭配的还有「ゆめゆめ」「まんざら」等。

其内部所谓的“肯否兼用异义型”是指一些本身为多义副词，其中至少有一个义项要求仅限于搭配显性否定表达，其余的义项则或者排斥显性否定表达，表现出肯定极性特征；或者根本不受极性约束。类似这样的副词，汉语有“绝、死、并”等 3 个，日语则没有。以汉语副词“死”为例进行说明。

（11）　张冬柱头部受伤，他的妻子刘青霞死抓住（＊死不抓住）歹徒双腿不放。（1996 年《人民日报》）

（12）　但朵朵木百般抵赖，死不认帐（＊死认账）。（李文澄《努尔哈赤》）

副词“死”是多义副词，当修饰一些单音节身体动作动词时，表示“紧紧地、牢牢地”（张斌 2005：498），如例（11）的“死抓”以及“死盯、死缠、死拽”等，这类“死”属于情态副词在句子起描摹作用，表现出肯定极性特征，一般不能与否定结构搭配，如“死不抓住”不合法。当“死”修饰形容词时，表极端义，含有轻微的贬义色彩，如“这道菜死咸”、“这家餐厅的饭死难吃”等。此类“死”属于程度副词，也表现出肯定极性特征，如“死不咸”“死不难吃”等都不合法。这两个义项的“死”可认为是“肯定极性副词”。但是，“死”还可做语气副词表“坚决的态度”，此义项表现出极强的否定极性特征，属于否定极性副词，如例（12）变换成“死认账”不合法。

5.2 强否定极性副词

“强否定极性副词”是指一些只能被否定性语境允准，完全排斥肯定性语境的副词。其内部也有一些“否定专用型”的副词，与 4.1 小节中的“否定专用型”不同，这些副词除了搭配显性否定表达外，还能与隐性否定表达共现。汉语中这类副词仅有“千万、切”2 个。相对来说，日语较多一些，有「金輪際、必ずしも、皆目、からきし」等 9 个。此处以汉语副词“千万”和日语副词「必ずしも」为例进行说明。

（13）再一个则是必须认清年龄服从性格，千万不要固执。（景孤血《京剧的行当》）

（14）天干风冷，千万当心灯火。（刘振华《女儿悲》）

（15）我可是蛮认真的，你千万要认真对待。（1995 年《人民日报》）

汉语副词“千万”主要被显性否定表达允准，如例（13）。此外，少数“千万”还可以修饰肯定结构，但共现的基本都是“小心、当心、注意、留心、留意”等“小心”类隐性否定动词，如例（14）。袁毓林（2012：105）认为“小心”类隐性否定动词含有语用推论层面上的否定性意义，可归纳为：为了“不+发生不如意的事情”而将精神集中于某个方面。此外，“千万”还可以与能愿动词“要”的肯定结构共现，如例（15）。值得注意的是，“千万”都用在祈使句中，而其所在的祈使句通常都是说话人为防止某种不如意事件的发生而要求或叮嘱听话人务必要集中精力于某方面的含义，属于“小心”类隐含否定义的句否定表达。

（16）故に実社会はかならずしも清らかではない(＊清らかである)。/所以现实社会并非是纯净的。(『百言百話』)

（17）このところの安芸の精神状態は必ずしも良好とはいいがたい。（＊がたくない）。/近来安芸的精神状态难以说得上良好。（渡辺淳一『うたかた』）

例（16）「必ずしも」可以被显性否定表达「清らかではない」允准，但变换成肯定结构「清らかである」后句子不能成立。「必ずしも」还可与隐性否定表达共现，如例（17）与「困難」类隐性否定表达「～がたい」搭配，此外还可以与「～にくい、～かねる」等搭配。但如果变换成否定结构「～がたくない」则句子不能成立。这类副词一般不能与隐性否定表达相对应的句法否定结构共现，可能与隐性否定表达的句法否定结构在意义上会变成双重否定，负负得正，成为肯定意义有关。

“强否定极性副词”内部还存在一些“肯否兼用异义型”副词。它们自身往往有多个义项，其中至少一个义项要求只能被否定性语境允准，而其余义项则或者不受肯定否定的极性约束限制或者根本排斥否定性语境。这类副词汉语中只有“又”和“迟迟”2 个，相对来说，日语的数量则比较多，有「まるで、とても、どうにも、なかなか」等共计 12 个。此处以汉语的副词“又”和日语副词「まるで」为例进行说明。

（18）你又不是（＊又是）不知道，国内几次举事都失败了，最大原因是缺钱。（陈廷一《宋氏家族全传》）

（19）学杜松、刘綎那样，力战而死，又有何用？（李文澄《努尔哈赤》）

“又”大致有三种用法：一是表示相继；二是表示累积；三是表示某些语气（吕叔湘 2005：633）。其中表语气的义项为否定极性副词，倾向于与否定结构共现，变换成肯定结构“又是”句子不成立，如例（18）。表语气的“又”还可被句否定形成的隐性否定语境允准，如例（19）结构上虽没有否定词，但实则表达否定含义，即“没有什么用”。而“相继”义的“又”通常表示前后两个动作的先后发生，从语义逻辑的角度可知该义项仅限于搭配肯定表达，否则逻辑不通。“又”表事实或状态的累积时，则不受肯定否定的极性限制。据此可知，多义副词“又”作否定极性副词时的义项与其搭配肯定表达时的义项是不同的，因此可归入“肯否兼用异义型”。

（20）最初一所に来た西洋人はその後まるで姿を見せなかった（＊見せた）。/ 最初同他一起来的那个外国人，以后再也没有看见。（夏目漱石『こころ』）

（21）大気も、陽の光も、数日前とはまるで違っていた（違わなかった）んです。/ 无论大气还是阳光，都与几天前迥然有别。（井上靖『あした来る人』）

根据『デジタル大辞泉』，日语副词「まるで」主要有两种用法，其一表比况，相当于“好像、宛如”，可与肯定表达和否定表达自由共现（参看小矢野哲夫 1995：1-14）。其二包含程度义，表「すっかり、まったく」，相当于“完全、全然”，注明了使用要求「下に否定的な意味の語を伴って」，具有强烈的否定极性敏感特征。如例（20）「まるで」与否定词「なかった」共现，是对「見せる」这一动作行为的彻底否定，即“完全没有再出现”。该用法与肯定表达搭配受限，变换成肯定结构「見せた」句子不成立。此用法的「まるで」还可以被一些隐性否定词允准，如例（21）中的「違う」属于「不一致」类隐性否定词，隐含「同じではない」的否定义。其他可共现的隐性否定词还有「無意味、無頓着、だめ、欠けている、忘れてしまう、逆、別人」等。由于「まるで」与否定表达具有亲和性，例（21）变成否定结构「違わなかった」句子依然合法。

5.3 弱否定极性副词

弱否定极性副词对否定性语境的依赖程度相对较弱，可以非自由地搭配一些肯定表达。这类副词汉语有“一概、全然、从来、死活”等 7 个。日语有「一概に、さほど、別に、全然」等 6 个。通常它们在词典中也有标示，如“多用在否定句中”或者「多くは打消しの語を伴って用いる」等。此处以汉语副词“从来”和日语副词「一概に」为例进行说明。

（22） 琴上安着一盏灯，照亮了她的脸，他从来没看见（＊从来看见）她的脸那么肃静。（张爱玲《红玫瑰与白玫瑰》）

（23） 他们中的多数人都通晓我国古典诗歌，也通晓西方各国诗歌。但他们都从来拒绝（从来不接受）模仿和因袭。（《读书》）

（24） 吉祥戏院从来都是（从来都不是）戏剧演出的重要场所。（1994 年《报刊精选》）

“从来”作为否定极性副词与显性否定表达具有强烈的亲和性，如例（22）表示对经历体验的否定。由于其与肯定表达搭配十分受限，变换成肯定结构“从来看见”句子不成立。“从来”还可与隐性否定表达共现，如例（23）中的“拒绝”属于“拒绝”类隐性否定词，隐含“不接受”的否定义。据语料分析可知，“从来”也可与肯定性表达共现，但所占比例远低于与否定性表达的共现。另一方面能搭配的词也较受限，如一般不能直接与典型的动作动词搭配，常须借助“能”“要”等能愿动词，或者与边缘动词“相信”“是”等搭配。这些动词与典型动词只存在家族相似性，因此其用法有可能会溢出动词的要求和范畴，进而在句子中允准否定极性副词。由于“从来”与否定表达具有亲和性，例（24）变成否定结构“从来不是”句子依然合法。

（25）ファッションといっても、どこまで許容されるのかはその会社によって異なるだろうから、一概にこういうのがいいというのは言えない（＊言える）。/虽说是时尚，但不同公司所允许的程度也不同，所以不能一概而论地说这样就好。（和田秀樹『「本当にできる人」になる速効！』）

（26）いろんなタイプがあるものですから、ちょっと一概に説明しかねる（説明できない）点が実はございます。/因为有各种各样的类型，所以实际上有些部分很难一概而论。（『国会会議録』）

（27）世界古今の変化きわまりない事物を指して、一概に荒唐無稽であるなどといって排斥してよいものであろうか。/对世界古今变化无常的事物，一概以荒诞无稽来加以排斥，真的好吗？（武田雅哉『〈鬼子〉たちの肖像』）

（28）一概に朝日新聞は反日だとか言うけれど（言えない）、本当にそうなんでしょうか？ /笼统地说《朝日新闻》是反日的，但事实真是如此吗？（Yahoo!知恵袋/政治・社会問題）

副词「一概に」与显性否定表达具有强烈的亲和性，如例（25）表示部

分否定。由于其与肯定结构搭配十分受限，变换成相对应的肯定结构“言える”则句子不能成立。「一概に」也可以与隐性否定表达共现，如例（26）「～かねる」属于“困难”类隐性否定动词，隐含动作行为实施起来比较困难的否定义。例（27）则是通过反问表达「～であろうか」构成隐性否定句，表示不赞同、不认可已有的观点，即「一概に荒唐無稽であるなどといってよいものではない」。「一概に」也可与肯定性表达共现，但比例远低于与否定性表达的共现，句法结构也比较受限，一般不能用在简单的单句中，多用在较为复杂的复句关系中。如「一概に～の/ことは～（否定・マイナス表現を伴う）」的复句结构，表示说话人对前半句内容的否定性意见，或者通过「しかし、けれども、が」等表逆接关系的接续助词构成具有转折关系的复句，如例（28）「一概に」用在复句的前半句，与肯定表达搭配，后半句是对前半句观点的修正，传达了部分否定的含义。「一概に」与否定性语境具有强烈的亲和性，如果不考虑前后语境，变换成否定结构「一概に朝日新聞は反日だとかと言えない」，从语法上来说句子也依然可以成立。

6. 显著度的差异与原因

从绝对数量来看，日语否定极性副词远远多于汉语，其中汉语为 25 个，日语为 44 个。汉语中的严格否定极性副词共有 18 个，约占整体的 72％。日语中的严格否定极性副词有 38 个，约占整体的 86.4％。从统计数据来看，相对汉语而言，日语的否定极性副词现象更突出，遵守否定极性语境规约的词语更多。我们认为这与日语语言的自身特点有关。日语是一门形态比较发达的语言，特定的含义常用特定的形态来表达。日语语法中自古就存在“系结（係り結び）”这一传统语法现象，它是古代日语中的一种语法规则，即系助词与谓语特定的活用形之间存在前后呼应的关系，在古日语中十分常见。此外，日语副词中有专门一类副词在使用时要求必须与句中特定的谓语形式前后呼应搭配共现，山田孝雄（1936）、時枝誠記（1950）等称之为「陳述副詞」，俞晓明（1999）称之为「呼応の副詞」，内部又可分为与表推量、疑问、愿望、否定以及假定等谓语类型相呼应的不同类副词。否定极性副词只是日语

「陳述副詞」中的一个小类。日语形态发达，对否定谓语形式的搭配要求显而易见，语言使用者容易通过语用“类推”，使副词与否定表达搭配，实现由无极性特征向否定极性倾向发展、甚至由倾向性最终向强制性方向发展。这大概是日语否定极性副词数量众多，研究历史悠久的一个原因。而与此相对，汉语是一门严格意义上缺乏形态变化的语言，副词中也不存在一类专门的「呼応の副詞」，否定极性副词零星地散落在程度副词、范围副词、语气副词等各副词小类中，是一种不宜被人关注的语法现象，语言使用者也不容易使用语用“类推”，因此对否定谓语形式的搭配限制不容易实现由无极性特征向倾向性、由倾向性向强制性发展。这大概是汉语否定极性副词数量相对少，系统研究成果相对不多的一个原因。

7. 结语

本文通过相关标准初步框定出了汉语和日语的否定极性副词成员，否定极性副词所依赖的否定性语境可以通过显性否定表达和隐性否定表达两种手段来实现。为更好地认识各成员之间的共性与差异，本文根据对否定性语境的依赖程度强弱，在汉日否定极性副词内部又进一步做了次类划分，最后尝试对日语否定极性副词相较汉语表现更为突出的现象做了解释。

关于汉日否定极性副词的来源、发展演变、形成机制、语义特征等问题都值得我们进一步深入研究，限于篇幅的原因，另文再作讨论。

注

1) 本文的“极性”是指命题情态的肯定或否定的两极属性。

2) “极性敏感”是指某些词语对语境分布非常敏感，具有倾向于只在否定或肯定性语境中使用的一种属性（参看蒋勇、廖巧云 2012：118）。

3) 各家对该语言现象的研究尚未形成统一的认识，如孙琴（2005）称之为“否定性结构专用副词”，陈佳宏（2006）称之为“与否定无标记关联”的副词，胡清国（2011）称之为“否向副词”，葛金龙（2012）称之为“否定极性副词”等 。

4) 工藤真由美（1999：69-107）将该语言对象称为「否定と呼応する副詞」、本田

晶治（1981：68）、王华伟（2007：172-202）称之为「否定副詞」，葛金龙（2004）称之为「否定対極副詞」，其研究对象大体相当于本文拟研究的“否定极性副词”。

5）语料库统计比例验证时，汉语使用“北京大学现代汉语语料库（CCL）”，日语使用“现代日语书面语均衡语料库（BCCWJ）”，语例数量较多时，取所有语例中合法的前 500 例进行统计。

6）随着样本数量的扩大，各类的成员可能会出现部分差异。但此结果仍具有极强的参考性，本文暂按此分类进行分析。

7）副词很多是多义项的，这一栏中“严格型、非严格型”以及“极强、强、弱”的分类是从副词中具有否定极性敏感特征的某个义项出发考量的。而“否定专用型”“肯否兼用异义型”等的分类则是从副词的整体义项出发考量的。

参考文献

【汉语文献】

葛金龙（2012）〈汉语的否定极性副词〉汉语学习第 12 期：46-52.

胡清国（2010）《否定形式的格式制约》华中师范大学出版社，武汉.

蒋勇、龚卫东（2006）〈极性词语的梯级模型及补充〉《现代外语》第 1 期：10-19.

蒋勇、廖巧云（2012）〈从来”的隐现极性特征与梯级逻辑〉《现代外语》第2期：118-124.

吕叔湘（2005）《现代汉语八百词（增订本）》商务印书馆，北京.

沈家煊（1999）《不对称与标记论》江西教育出版社，南昌.

宋伟萍（2013）〈现代汉语否定极性副词分析〉浙江大学硕士学位论文.

孙　琴（2005）〈现代汉语否定性结构专用副词的考察〉广西师范大学硕士学位论文.

王　欣（2011）〈汉日否定表达对比研究〉吉林大学博士学位论文

吴为善（2011）《认知语言学与汉语研究》复旦大学出版社，上海.

袁毓林（2012）〈动词内隐性否定的语义层次和溢出条件〉《中国语文》第 2 期：99-113.

张　斌（2005）《现代汉语虚词词典》商务印书馆，北京.

郑玉贵（2019）〈否定极性副词与肯定结构的共现状况与形成原因〉《新疆大学学报（哲学・人文社会科学版）》第 5 期：141-148.

【日语文献】

王華偉（2007）「現代日本語の否定表現に関する研究」中国複旦大学博士論文.

葛金龍（2004）「日本語と中国語の主観表現副詞の対照研究：否定対極副詞を中心に」平成17年神戸大学博士論文.

近藤泰弘（1997）「否定と呼応する副詞について」『日本語文法 体系と方法』pp. 89-99, ひつじ書房.

工藤真由美（1999）「否定と呼応する副詞をめぐって」『大阪大学文学部紀要』39, pp. 69-107, 大阪外国語大学.

工藤真由美（2000）「否定の表現」『日本語の文法2 時・否定と取り立て』pp. 95-150 岩波書店, 東京.

小矢野哲夫（1995）「程度副詞としての『まるで』」『日本語・日本文化研究』5, pp. 1-14, 大阪外国語大学.

原田登美（1982）「否定との関係による副詞の四分類－情態副詞・程度副詞の種々相－」『国語学』128, pp. 122-138, 国語学会.

本田畠治（1981）「日本語の否定構文（1）－「否定副詞」の分布をめぐって（前）－」『研究報告』17-1, pp. 67-88, 静岡大学教養学部.

山田小枝（1997）『否定対極表現』多賀出版, 東京.

兪暁明（1999）『現代日本語の副詞の研究』大連理工大学出版社, 中国大連.

例句出处：

本文语料主要取自北京大学中国语言学研究中心现代汉语语料库(CCL)，现代日语书面语均衡语料库（現代日本語書き言葉均衡コーパス（BCCWJ)），中日对译语料库（CD-ROM 版）等，为简洁行文，对部分例句进行了删截。

中国語の副詞“也”の主観化についての研究

－日本語の「モ」との対照を兼ねて－

A Study on Subjectivity of Chinese Adverb *“YE”*: In contrast to the Japanese Auxiliary Word *“MO”*

孫　宇雷
SUN Yulei

提要

本研究从对照研究的角度切入，深入探讨了现代汉语副词“也”的主观化过程。根据本研究结果，“也”的原型为“同类提示”，从原型出发，归纳整合先行研究的不同说法，“也”扩张出“缓和语气”、“强调”以及“逆接”四大类型。事实上，“强调”与日语提示助词「モ」的“极端例示”、“全面否定”相对应。在“极端例示”基础上演变出“逆条件”，在“全面否定”的基础上演变出“无条件”。综上，关于汉语副词“也”的分散词条解释达到有机统一。

キーワード：主観化　主観性　日中対照　同類　集合

目次

1.　はじめに
2.　中国語の副詞“也”及び日本語の「モ」についての先行研究
3.　対照研究
4.　中国語の副詞“也”の主観化検証
5.　おわりに

1. はじめに

副詞としての“也”[1)]は、《现代汉语大辞典》によって、以下のように解釈されている。

- 文を接続する。同様をあらわす。
- 並列を表す。
- 逆接や譲歩を表す。
- 強調する。

また、『中日辞典』によれば、副詞としての“也”は、以下のように用いられている。

- 前後二つの主述句に用いることもできるし、後の主述句にのみ用いることもできる。
  主語が異なり、述語が同じか同義である場合。
  主語が同じで、述語が異なる場合。
  主語も述語も異なる場合。
  主語も動詞も同じで、目的語が異なる場合。
  主語も動詞も同じだが、動詞の修飾語が異なる場合。
- 事実や仮定にかかわりなく、結果は同じことだということを表す。
  虽然/尽管/既然/宁可/……也
  无论……也
  纵然……也/无论怎么……也
- 語気を強める
  甚至……也
  名詞＋也
  一＋也
- 口調を和らげる

以上のように、解釈された意味それぞれであるが、各意味要素に連続性が言明されていない。本研究は、主観性の視点から出発し、“也”のプロトタイプから分析を行い、中国語の副詞“也”の検討を展開する。

2. 中国語の副詞“也”及び日本語の「モ」についての先行研究

北京言語大学出版の『現代中国語使用回数辞典』(2006)の調査によれば、中国語の副詞“也”はランキング19位との結果である。また、台湾中央研究院均衡コーパスによれば、中国語の副詞“也”は、ランキング12位ということがわかった。中国語の“也”については、意味・文法・機能・通時的研究など、さまざまな側面から研究が蓄積されている。意味分析の研究を、以下のように纏めてみた。(表1を参照)

表1　中国語の副詞“也”についての先行研究

出典	意味分析	筆者訳
呂（1980）	表类同	同類を示す
	表强调	強調する
	表委婉	和らげ
馬（1999）	表类同	同類を示す
	表委婉	和らげ
景（1980）	相同或同样	同類を示す
	并列	並列
	递进	添加
	转折或让步	逆接・譲歩
	假设	仮定条件
	条件	条件
	强调	強調する

	委婉	和らげ
《新华大字典》	表并列	並列
	表同样	同類を示す
	表让步或转折	譲歩・逆接
	表同情、埋怨	同情・不満
《现代汉语词典》	表同样	同類を示す
	表并列	並列
	表结果相同	同じ結果に導く
	表转折或让步	逆接・譲歩
	表委婉和强调	和らげ・強調する
潘（1983）	异中有同	同じ結果に導く
張（1996）	提示中心	主に同類提示
崔（1997）	表同样	同類を示す
	表共现	共起
	表语气	モダリティ
畢（1994）	对称性并列	対称的並列
	程度性包容	程度的包容
	评价性婉转	評価的和らげ

表１によれば、「同類を示す」、「強調」及び「和らげ」の意味分析が最も多く観察された。このほか、「逆接」、「譲歩」、「並列」もあげられている。さらに、モダリティの側面で、「同情」や「不満」などの意味ニュアンスも表されるとされている。

一方、日本語の「モ」の意味として、「同類提示」のほか、「和らげ」、「詠嘆・感動」、「程度・限定」、「極端例示」及び「全面肯定・否定」などの意味機能があげられている。孫（2015）は、同類提示をプロトタイプから、周辺的意味機能への拡張を示した。

本研究は、中国語の副詞“也”と日本語の「モ」を対照しながら、“也”の主観化を検討する。

3. 対照研究

孫(2015)によれば、係助詞(副助詞)としての「モ」のプロトタイプと意味拡張は、参照点モデルで解明できるとされている。参照点モデルは、Langacker(1996)により提出された認知モデルである。参照点モデルは、人々が目標（Target）とする物事を認知するため、先に参照するものを見つかり、それを参照点（Reference Point）として目標を認識する心理的構造を示している。孫(2015)はそれを「モ」の理解に生かして、以下のように解釈している。

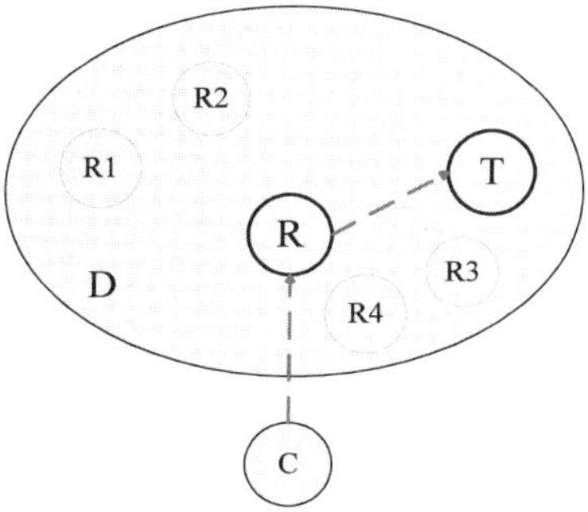

図 1 同類を示す「モ」のイメージスキーマ

「モ」の先行研究によれば、「モ」で提示された物事のほか、類似するものが幾つあると暗示されている。図 1 のように、R と類似して、R1、R2、R3、R4 などが存在している。D は R と類似するものから構成されている集合で、参照点モデルの中では、概念領域（Dominion）を示している。D の中に存在する要素は、T という共通性を持っている。
中国語の副詞“也”も、最も多く用いられる場合は、同類を示す時である。

(1)小王也来啦！//王さんモ来ていますか。

(2)你可能不够优秀，我也是。//あなたはそれほど優秀ではないだろうか、私モそうです。

(3)你也能成为明日之星。あなたモ未来のスターになれる。

(4)我能怎么办，我也很难过啊！//しょうがないわ。私モ苦しんでいますから。

(5)虎父无犬子，张院长的儿子也如愿成为一名出色的外科医生。//勇将のもとに弱卒なし。張院長の息子さんモ一人前の立派な外科医になりました。

例(1)－(5)を見ると、「王さん」以外は、ほかの人たちも着ていることがわかった。また、「それほど優秀ではない」人は、「あなた」、「わたし」のほか、まだたくさんいる。「明日のスター」は、あなたのほかにも、まだまだ存在している。「苦しんでいる」人は、話し手だけではなく、聞き手も同じであることがわかった。立派な外科医は「張院長の息子さん」だけではなく、「張院長」も同じであるかもしれない。

以上のように、中国語の副詞“也”の最もプロトタイプ的な用法は、図1のイメージスキーマにも当てはまる。ここで、話し手の主観は「Dを強調すること」である。つまり、提示された物事の背後に、類似する要素から構成された集合があることがプロトタイプの”也”文で表されている。

3.1　「詠嘆・感動」の「モ」と中国語の副詞“也”

孫（2015）によれば、「モ」が「詠嘆・感動」を表す場合、プロトタイプと少々異なる。図1で示されたように、Dは類似するものの集合を表すが、「詠嘆・感動」の場合では、Dは「人為を超えた物事の順当な推移」、あるいは「抗しがたいことの移り行き」と相当する。この場合のDは、「同類提示」のDと比べてみると、概念領域の範囲が大きい。世の中の多くのものは、自然時間の流れとともに、推移しているからである。では、同じような使いは、中国語の副詞“也”にもあるのであろうか。次は対訳の視角から考察、検討する。

(6)ついに戦争モ終わった。//战争也总算结束了。
(7)夜モ更けた。//夜也深了。
(8)あの子モ大きくなったね。//那孩子也长大啦。
(9)この財布モずいぶん古くなった。//这钱包也很旧了。

例(6)－(9)の中国語訳から、副詞“也”を取り除いても成立する。

(6)’战争总算结束了。//ついに戦争が終わった。
(7)’夜深了。//夜が更けた。
(8)’那孩子长大啦。//あの子が大きくなった。
(9)’这钱包很旧了。//この財布、ずいぶん古くなった。

例(6)－(9)と例(6)’－(9)’を比べてみると、中国語の副詞“也”は、「詠嘆」、「感動」よりも、文意を和らげる機能を果たしているということがわかった。以上のほか、中国語の副詞“也”の「和らげ」は、以下のように用いられている。

（10）你也真是的。//もう、あなた！
（11）韩长勃原先也还阔，往后才穷下来的。[2]//韓長勃はもともと金持ちであったが、しばらくして貧乏人になってしまった。

例(10)、(11)のように、文意を和らげる“也”は、取り除くことができる。「詠嘆・感動」の「モ」と異なり、「和らげ」の“也”はただ、間主観性的なものである。意味伝達に拘らず、聞き手、読み手が受け入れやすく、文意を和らげる働きを果たしている。

3.2 「程度・限定」を表す「モ」と中国語の副詞“也”

本稿で言う「程度」、「限定」を表す「モ」は、数字・時間など量的表現と共起する「モ」を指している。『明鏡国語辞典』の解釈によれば、「程度」を表す「モ」は、「数量を表す語について、**ア** 程度の多さを強調する **イ** 上限を示して数量の少なさを表す **ウ** 過去のことを推量して、おおよそその程度を表す」とされている。

(12)一時間モ待った。//等了一个小时。

(13)百人モ押しかけた。//来了一百多人。

(14)一万モあれば買える。//有一万块就能买得起这个。

(15)五分モあれば帰ってくる。//再有五分钟就回去了。

(16)一時間モ待っただろうか。//等了我一个钟头了吧？

孫（2015）によれば、「程度・限定」を表す場合、「モ」のイメージスキーマのＤは、「心的領域」である。つまり、「モ」で取り立てられた数量は、「心的領域」の「数量範囲」と比較している。比較の結果として、「程度」の「多さ」、「少なさ」、限定された内容が得られる。

例（12）－(16)は、中国語に訳される場合“也”と訳す必要がないようである。この点で、中国語の副詞“也”は、量的表現と共起する場合もそれほど多くない。

（17）一个也不能少。//一つモ欠けられない。

（18)两百个也不算少。五十个也不算多。//二百は少ないトハイエナイ。
五十は多いトモイエナイ。

例(17)は、「全面肯定・否定」で、例(18)は連語“也不算多”、“也不算少”の形で現れている。したがって、量的表現と共起し、「程度」を表す“也”

は、存在しないということが判明できる。

　また、「限定」をあらわす「モ」の例文として、「東京モ西のはずれ」（筆者訳：说是东京，其实就是西郊）、「中世モ鎌倉のころ」（筆者訳：说是中世，其实就是镰仓时代）などがあげられるが、そもそも古文使いの残存であると思われる。また、中国語の副詞“也”と訳される必要も無いように見える。

3.3 「極端例示」の「モ」と中国語の副詞“也”

　『新明鏡国語辞典』によれば、「極端例示」の「モ」は「ある物事、特に極端な物事や高い評価を表す物事を取り立てて、通常は成立しないがと一歩引く気持ちを添えながらも、この場合は大いに成立すると主張してその文意を強める」と解釈されいている。

(19)弘法モ筆の誤り。//弘法大师也会有写错字的时候。

(20)自信家の彼モどうやらお手上げだ。//连一向自负的他都不得不认输了。

　孫（2015）によれば、「極端例示」の場合、極端例が集合Dに収められ、集合が極端に拡張していることがわかった。意味上は、「誰だってこのようなときがある」ということが伝わっている。中国語の副詞“也”にも、このような使いが観察された。

（21）修女也疯狂。[3] //シスターモ狂ってしまう。

「弘法」も、「自信家」も、「シスター」も、常識的判断によれば、例文で挙げられた結果は成り立たない。以上の要素は、そもそもの常識的判断からはずれ、Dに収められている。このように、文の後部に焦点が当てられ、話者の主観は、結果成立の必然性にあることがわかった。

3.4 「全面肯定・否定」の「モ」と中国語の副詞“也”

「全面肯定」の場合、「モ」のイメージスキーマのDが、無限大に拡張する。それに対して、「全面否定」の場合、Dが無くなる。中国語の副詞「也」にも、類似する用法がある。

（22）我什么也不要，只要你平安归来。//何モ要りません。あなたが無事平安で帰ってきて何よりです。

（23）什么都好，就是少一个人陪伴。//すべては順調に進んでいるが、そばには一人モ無くてさびしい。

例(22)、(23)に見られるように、中国語の副詞“也”は、「全面肯定」に使われない。“都”のほうが適切だと思われる。辞書の解釈によれば、“也”は、否定の語気を強める機能を果たしている。また、この場合の“也”を取り除くと、話し言葉の性格が強く伺える。

（22）’我什么不要，只要你平安归来。

3.5 対照研究の結果

孫(2015)によれば、係助詞の「モ」は、プロトタイプの「同類提示」から、「詠嘆・感動」、「程度・限定」、「極端例示」、「全面肯定・否定」まで拡張しているプロセスが明らかにされた。それを参考にし、中国語の副詞“也”は、「詠嘆・感動」よりも、「やわらげ」の機能を果たしていることがわかった。また、「程度」を表す“也”はないように観察されている。「程度の少なさ」を表す場合、中国語は連語の形で“也不多”を用いるが、「限定」を表す場合も連語の形で“也就是”を使う傾向に見られる。また、「程度の多さ」、「全面肯定」を表す場合、中国語は“都”を用いるが、「極端例示」や「全面否定」の場合、中国語の副詞“也”は、「強調」の機能を果たしていることがわかった。

表2　中国語の副詞“也”と日本語の「モ」との対照結果

	「モ」	“也”
プロトタイプ	同類提示	同類を示す
拡張1	詠嘆	和らげ
	感動	
拡張2	程度(多い)	×
	程度（少ない）	×
	程度の推量	×
	限定	×
拡張3	極端例示	強調
拡張4	全面肯定	×
	全面否定	強調

孫(2015)は、係助詞の「モ」の拡張と伴い、主観化のプロセスも観察されたと主張している。中国語の“也”も、同じような主観化プロセスが成立すると仮設して、次の内容で検証する。

4. 中国語の副詞“也”の主観化検証

先行研究によれば、前節で検討した「同類を示す」、「和らげ」、「強調」のほかに、中国語の副詞“也”は、「添加」、「仮定条件」、「条件」、「逆接・譲歩」を表す、「同じ結果に導く」、「モダリティ」なども表せる。次から、この順で展開する。

4.1 「同類を示す」“也”

「同類を示す」場合では、“也”を取り除いても、文が成立する。但し、文の意味が変わってしまう。例(1)をもう一回検討しよう。

(1)小王也来啦!

(1)’小王来啦!

(1)と比べてみると、“也”で暗示された“集合”が(1)’で見えなくなった。副詞“也”は、中国語では、“虚词”(筆者訳：実質的意味を持てない機能辞)であるが、実際、「同類を示す」場合、実質的意味に近い働きをしていることがわかった。「同類を示す」場合、取り立てられた要素も、“集合”も現実に存在しているから、この場合をプロトタイプとして出発し、主観化を論じる。

4.2　「やらわげ」の“也”

「やらわげ」の“也”は、取り除いても、意味への影響はない。例(10)をもう一回見よう。

(10)你也真是的。

(10)’你真是的!

(10)と(10)’は、意味伝達の点では、異なりはないように見える。従って、「和らげ」の“也”は、プロトタイプの“也”から、語義がブリーチされたのである。主観化の理論によれば、語義ブリーチの主観化の一つの表現である。《新华大字典》によれば、“也”はモダリティ機能もあるとされるが、本稿は、畢(1994)と同じ観点で、いわゆる「モダリティ機能」を「評価的和らげ」と見なす。

(24)邻居家的狗也太讨厌了! //隣の犬、どうも煩いね。

例(10)、(23)で示したように、もともとのモダリティは、“真是的”、“太讨厌了”によって表されているが、文中の“也”は、ただの「やわらげ」機能を果たしている。「和らげ」“也”は、「マイナス評価」とともに用いる場合が多く観察される。この点で、畢(1994)の「評価的和らげ」の言い方がもっと適切だと思われる。

4.3 「強調」の“也”

「強調」の“也”は、取り除いたら、文は不自然に見える。

（21）修女也疯狂。
（21）’修女疯狂。
（22）我什么也不要，只要你平安归来。
（22）’我什么不要，只要你平安归来。

(21)’の主部と述部は、繋がりが悪い。その理由は、「シスター」のICM[4)]にある。「シスター」のICMは「優雅・大人しい・淑やか」などで、「狂う」へは連想し難いことである。「極端例示」と対応する「強調」“也”は、「逆接・譲歩」に近い用法である。また、(22)’は、話し言葉だと見なされれば、“也”が省略されていることがわかった。このように、「強調」の“也”は、文の成立へ影響があるから、“也”の文法化/主観化がさらに一歩進んでいることがわかった。

先行研究によれば、中国語の副詞“也”は、「逆接・譲歩」、「条件」、「仮定条件」を表すことができるとされているが、形式の面では、以上の使いは “就算”、“即使”、“哪怕”と共起する傾向がある。従って、本研究は、「逆接・譲歩」、「条件」、「仮定条件」を一括に「複文に用いる“也”」と呼ぶ。

4.4 複文に用いる“也”

複文に用いる“也”は、「順接」ではなく、「逆接」に用いられている。前件で、条件などを示し、後件で、前件条件から影響を受けずに、結果が成立することを表している。

（25）就算赴汤蹈火我也在所不惜。//どんな苦しみや危険も恐れず、この身を惜しまないで頑張っていく。

（26）即使你去也无济于事。//あなたが行っても役に立たない。

（27）哪怕上刀山，下火海，我也要去救你。//何があっても救うに行く。

例(25)-(27)のように、前件の条件が事実でも、仮説でも、後件の結果へは影響がないように見られる。話者の考えでは、どのような条件があっても、結果は必ず成立する。このように、“也”によって文の主観性が強く伺える。《现代汉语词典》、濬（1983）で論じられた「同じ結果に導く」ことは、この用法と一致しているので、合わせて「複文に用いる“也”」と称する。

以上のほか、景（1980）の、「添加」を表す“也”は、本研究で「同類を示す」“也”と同じものだと見なされる。

（28）这道题弟弟不会，我也不会。//この問題は、弟がわからない。わたしも。

例（28）で示したように、「弟」と「私」が「この問題がわからない」点で、同類であることが判断できる。したがって、「添加」も「同類を示す」一種だと見なす。

4.5 主観化検証の結果

4.1、4.4 の考察結果を纏めると、図 2 が得られる。

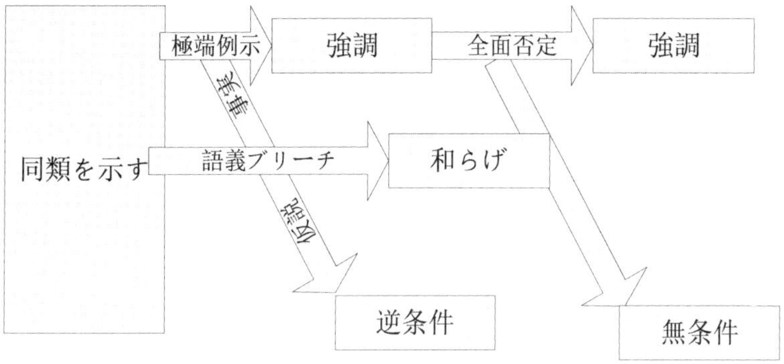

図 2　中国語の副詞“也”の主観化

図 2 で示したように、右・下へ行くと、主観化が進んでいることがわかった。プロトタイプの「同類を示す」から、語義ブリーチして、「和らげ」の意味機能へ到達している。また、「強調」用法は、実際、「極端例示」と「全面否定」の二種類ある。「極端例示」の場合、普段同類の集合外にあるはずのもの（極端例）が集合に収納され、集合の共通する属性を強調する主観が伺える。「全面否定」の場合、話者の立場から、世界のすべてのもの、例外なし、否定になっているという主観が強く伺える。複文に用いられる“也”は、「逆条件」と「無条件」の二種類に分けられる。「逆条件」の場合は、「極端例示」から拡張されたのに対し、「無条件」の場合は、「全面否定」から拡張された用法である。複文に用いられる“也”は、前件に「どのような条件が取り立てられても、同じ結果に導く」ことを表している。これが、話者の確信で、話者の主観が結果成立の必然性にあると判断できる。複数の条件が同じ結果に導くことから、さらに同類を示す機能と繋がりがある。同じ結果に導く条件は、同類だと言えることから、プロトタイプから拡張されたものだと認定できる。

5. おわりに

本稿は、孫（2015）に基づき、日本語の取立て助詞「モ」と対照しながら、中国語の“也”の主観化について考察した。複文に用いられる“也”は、さらに「モ・テモ」と対応する場合が多く、これについての今までの研究は、対訳コーパスで観察したものが多いようであるが、今後は意味拡張に基づき、“也”と「モ・テモ」を再び考察したい。

注

1）本稿は 2019 年度廣東省社会人文科学研究プロジェクト（GD2019CYY21）及び中国ポストドック研究プロジェクト（2019M653250）の研究成果の一部である。

2）周立波《暴风骤雨》

3）アメリカ映画の名前。日本では『天使にラブ・ソングを』と称される。

4）ICM：Idealized cognitive model の略称。人間が日常諸々のことを経験・理解する中、周囲の人や物、環境や出来事や文化などに関して形成する要素と関係で捉えられた構造化された知識のこと。

参考文献

毕永娥（1994）〈“也”在三个话语平面上的体现：多义性或抽象性〉《功能主义与汉语语法》北京语言学院出版社.pp79-93

景士俊（1980）《现代汉语虚词》内蒙古人民出版社.pp247-248

吕叔湘（1980）《现代汉语八百词》商务印书馆.pp201

马真（1999）《现代汉语虚词散论》语文出版社.pp22-33

沈开木（1983）〈表示“异中有同”的“也”字独用探索〉《中国语文》.pp1-8

孙宇雷（2015）《日语逆接句中接续机能辞的体系化研究》新华出版社.pp37-63

孙宇雷（2019）〈从对译语料看汉语无标复句—以テモ句式的汉译为中心〉《中国语文法研究》8.pp176-183

新华大字典编委会（2006）《新华大字典》商务印书馆.pp1041

张克定（1996）〈论提示中心副词“也”〉《河南大学学报》.pp56-60 中国社会科学院
语言研究所词典编辑室.《现代汉语词典》商务印书馆.pp1588

副詞加訳（日→中）論
—事例研究を中心として—
A Case Study of Explicit Adverbial Expression: As seen in Chinese Translation of Japanese Literary Works

藤田　昌志
FUJITA Masashi

提要

本稿是笔者前稿(2017)《加译(日→中)再论－关于连词(中)・副词(中)的加译(日→中)－》的续篇。日语对译成汉语时，常常会出现日语里没使用的副词(中)而汉译时需要加译现象。本稿以三部现代日本文学作品的中译本为资料考察副词(中)加译(日→中)的各种情况。具体地说，本稿主要考察“却”“一直”“并(+neg.)”“竟”“竟然”“其实”等的加译(日→中)情况。通过具体事例的研究阐明了副词(中)加译(日→中)有两个种类：1.形式上的加译(日→中)(ex.“并(+neg.)”、“却”的一部分) 2.具有实质词汇义和表义功能上的加译(日→中)(“竟”“竟然”、“却”的一部分、“一直”“其实”etc)。

キーワード：副詞加訳(日→中)　事例研究　形式的加訳　実質的加訳　二項対立

目次

1. 序
2. 加訳（日→中）について
3. 拙著(2017)第6章　加訳（日→中）再論—接続詞（中）・副詞（中）の加訳（日→中）について—先行研究—
4. 副詞加訳（日→中）論—事例研究を中心として—
5. 結語

1. 序

加訳(日→中)について、拙著(2007)同(2013)同(2017)の中で論じ、その概念等を援用して、日本語と中国語の対照研究、誤用例分析を行ってきた。本稿では副詞の加訳(日→中)について、事例研究を中心として論じてみたい。

日本語と中国語の副詞は主として形容詞、動詞を修飾し、通常、述語である形容詞や動詞の前に置かれ、連用修飾語(“状语”)になる点は共通しているが、日本文学作品をその中国語訳と対照してみると、日本語では非明示的 (implicit) な副詞が中国語では加訳(日→中)され明示的(explicit)となる場合がある。本稿ではその点について拙著(2017)第6章より更に詳しく考察してみたい。(日本語の副詞は状態副詞・程度副詞・陳述副詞に分けられるが、中国語では①程度副詞②範囲副詞③時間副詞④語気副詞という4分類から12分類までがある[1)]。)

2. 加訳(日→中)について

最初に、加訳(日→中)という概念について説明しておきたい。拙著(2007)では日本語から中国語へという方向で日本文学作品の中国語訳を資料として日中対照表現論を展開したが、その際、基礎概念として用いたのが加訳(日→中)、減訳(日→中)、意訳(日→中)、転換(日→中)という概念であった。加訳(日→中)とは日本語にない中国語の語、表現等が付加される場合を、減訳(日→中)とは日本語の語、表現等が中国語で非明示となる場合を、意訳(日→中)とは文字通り、直訳(日→中)ではなく主眼が意味を伝えることにある訳が行われる場合を、転換(日→中)とは＋－(プラスマイナス)的、二項対立的に転換した訳が行われる場合を指す概念である。

減訳(日→中)の具体例としては取り立て詞や「ようだ」(比況)、「そうだ」(様態)、指示語、過去のテンスを表す「た」、補助動詞(ex.～てあげる、～てくれる)などの減訳(日→中)例がある。意訳(日→中)の具体例としては間接的表現(日)の直接的表現(中)への意訳や反語表現(中)への意訳、「逆から」の意訳（ex.「羽田に到着まで」→“到羽田下机以前”）などがある。転換（日→中）の具体例には受身表現（日）の非受身表現（中）への転換や主客転換（日→中）（ex.「その肩がポンと叩かれる。」→“有人轻轻地拍了他一下肩膀。”）などが存在する。詳細は拙著（2007）をご覧いただきたい。

本稿での中心となる加訳（日→中）の具体例としては拙著(2007)では「数詞+“一”+量詞」の加訳（日→中）、指示代詞の加訳（日→中）、「具体性」の加訳（日→中）（ex.（ア）動作の到達点の加訳（ex.「柔らかく抱く」→“抱在怀里”）（イ）動作の方向、方式の加訳（ex.「反町が抱き止めた」→）“反町上去搀扶她。”）（ウ）動作を表す動詞自身についての「具体性」の加訳（日→中）（ex.「ズボンのポケットから名刺を取り出す」→“从裤兜里掏出一张名片”）（エ）時についての「具体性」の加訳（ex.「～夜に」→“～当天晚上”）、より言語習慣上の理由が色濃い加訳（日→中）（ex.「真紀子が目を見ひらいた。」→）“真纪子不由得睁大了眼睛。”）などについて考究した。最後の「より言語習慣上の理由が色濃い加訳（日→中）」には“不由得”のほかに“再说”“竟”などがあることを述べた。それに続く、拙著(2017)の第 6 章　加訳（日→中）再論―接続詞（中）・副詞（中）の加訳（日→中）について―　は“于是”等の“连词”等の加訳（日→中）、副詞については“竟”に限らず、かなり多くそのほかの副詞の加訳（日→中）が存在することが、日本文学作品とその中国語訳を事例研究（典型例の提示や表現の頻度数ランキングの提示とその考究）的に調査、考究することによって判明したことを述べた論究である。以下、拙著（2017）第 6 章について、先行研究として述べる。

3. 拙著（2017）第6章　加訳（日→中）再論―接続詞（中）・副詞（中）の加訳（日→中）について―先行研究―

拙著（2017）の第 6 章　加訳（日→中）再論―接続詞（中）・副詞（中）の加訳（日→中）について―（以下、拙著(2017)第 6 章と略す。）　では日本文学作品（いずれもベストセラー作家の手になるもの）を資料として接続詞

（中）・副詞（中）の加訳（日→中）について事例研究を行った。拙著(2007)の「より言語習慣上の理由が色濃い加訳（日→中）」[2]では帰納的な印象を述べるに留まっていたのに対して、拙著(2017)第 6 章では接続詞（中）・副詞（中）の加訳（日→中）について、客観的に、具体的に事例研究を行った。事例研究を行った資料としての文学作品の 3 冊は、東野圭吾(2009)『悪意』講談社　講談社文庫（→娄美莲译(2009)《恶意》南海出版公司）、道尾秀介(平成 21)『向日葵の咲かない夏』（=『向』）新潮社　新潮文庫（→于彤彤(2009)《向日葵不开的夏天》（=《向》）新星出版社）、村上春樹(2010)『ノルウェイの森』（=『ノル』）（上）（下）講談社　講談社文庫（→林少华(2010)《挪威的森林》（=《挪威》）上海译文出版社）である。以下、接続詞（=“连词”）の“于是”“然后”等は省略し、本稿の中心である副詞の加訳（日→中）について、事例研究の結果を先行研究として述べてみたい。

東野圭吾(2009)『悪意』講談社　講談社文庫（→娄美莲译(2009)《恶意》南海出版公司）では副詞の加訳（日→中）の頻度数ランキングは 1.“一直”(24)。((　)内の数字は用例数を表す。以下同じ。)2.“竟然”(12)“竟”(5)3.“突然”(10)4.“终于”(8)5.“确实”(6)6.“反正”(6)6.“其实”(6)6.“实在”(6)9.“毕竟”(5)という結果になった。1 位“一直”の加訳（日→中）については㋐空間的連続—ではなく㋑時間的連続—の意のものが 24 例で、㋐空間的連続が 0 例であったのは特徴的な結果として挙げられよう。“一直”の後の動詞は心理動詞関係が 8 例あり、“觉得”(2)“忘记”(1)“想”(1)“期盼”(1)“心存恐惧”(1)“以为”(1)“认为”(1)がその具体的な心理動詞である。表現例としては次のようなものが挙げられる。「だが私は正直なところ、犯人は彼ではないかと疑っている。」(『悪意』p.62)→“老实说，我一直觉得凶手应该是他。”(《恶意》p.62)。

2 位の“竟然”(12)“竟”(5)については両者の使い分けの理由が問題となるとともに、何を「意外」と考え、言語化するかについての日本語と中国語の表現上の文化的相違が存在する。

道尾秀介(平成 21)『向』(→于彤彤(2009)《向》)の副詞の加訳(日→中)の頻度数ランキングは 1. “究竟” (28) 2. “一直” (21) 3. “实在” (19)3. “其实” (19) 5. “终于” (13) 6. “突然” (6)・・・・・・“竟然” (3)というものであった。1. “究竟” (28)は日本語が「何」「どう」「どこ」「どんな」「どうして」「どういう」といった表現を含む際に、加訳(日→中)されることが多いようである。(ex.「先生は何を言っているのだろう。」(『向』p.48)→岩村老师究竟在说些什么啊!“(《向》p.33)。2. “一直” はすべてが時間的連続を表すもので、空間的連続を表す例は皆無であった。3. “实在” (19)の加訳(日→中)は「強調」の意の「本当に」という意味のものがほとんどであり(ex.「申し訳ありませんでした。」(『向』p.150)→“ 实在是太抱歉了。”)、同 3 位 “其实” (19)の加訳(日→中)は 16 例が「修正、補充」の意のものであった。(ex.「違和感。そうじゃない。～」(『向』p.195)→“有什么东西不对劲儿，其实也不是。”(《向》p.143)。)

村上春樹(2010)『ノルウェイの森』(=『ノル』)(上)(下)講談社　講談社文庫(→林少华(2010)《挪威的森林》(=《挪威》)の副詞の加訳(日→中)の頻度数ランキングは以下のものであった。1. “其实” (24) 1. “居然” (24) 3. “竟” (11)、“竟然” (3)→計(14) 4. “结果” (13)5. “不由” (8)、“不由得” (2)→計(10) ・・・・・・“一直” (4) “实在” (3)。1. “其实” (24)は「補充」の意味のものが 23 例であった。(ex.「シェークスピア以外の人の名前は聞いたことがないな、と彼は言った。僕だってほとんど聞いたことはない。」(『ノル』(上)p.33)→) “他说，除莎士比亚外都没听说过。其实我也半斤八两，～” 《挪威》p.20。) 1. “居然” (24)は 3. “竟” (11)、“竟然” (3)→計(14)の同義語、類義語である。《恶意》では “竟然” (12)＞竟” (5)で、《挪威》と “竟然”、“竟” の使用数の比は逆である。後続の動詞の音節数が影響しているのであろうか。

以上の 3 冊の副詞(中)の加訳(日→中)の頻度数ランキングは 3 冊の副詞(中)の加訳(日→中)を合計すると、1. “一直” (49)1. “其实” (49)3.竟” (16)

“竟然”(18)→計(34)4.“实在”(29)となる。拙著(2017)第6章では“一直”の加訳(日→中)は圧倒的に時間的連続の意味のものが多く(全体49例中、実に46例がそうである)、“其实”(49)の加訳(日→中)は主として修正・補充(・反語)に使用され“实在”(29)は“的确”と同義で「強調」の意味として使用されるという棲み分け、使い分けが行われていることが判明した[3)]。

4. 副詞加訳(日→中)論—事例研究を中心として—

4.0

以上の拙著(2007)、同(2017)第6章を踏まえて、今回は更に日本現代小説(いずれもベストセラー作家のもの)とその中国語訳3種を資料として副詞の加訳(日→中)について事例研究を行いたいと思う。3冊とは①大岡昇平(昭和60)『野火』新潮社　新潮文庫(→王杞元　金强译(1987)《野火》昆仑出版社)②田村裕(2007)『ホームレス中学生』(=『ホ』)(→吴季伦译(2009)《无家可归的中学生》(=《无家》)上海译文出版社)③又吉直樹(2015)『火花』文藝春秋(→毛丹青译(2017)《火花》人民文学出版社)の3冊である。

『野火』は戦争文学の代表的作品で、かつ丸谷才一が(1977)『文章読本』(中央公論社)の第9章　文体とレトリック　の例文をすべて『野火』から採ったもので、『ホームレス中学生』はベストセラー作品、『火花』も言うまでもなく、近年、芥川賞を受賞し300万冊以上売れたベストセラー作品である。

4.1 『野火』の副詞の加訳(日→中)

大岡昇平(昭和60)『野火』の王杞元　金强译《野火》への翻訳の中の副詞加訳(日→中)の頻度数ランキングは以下のものである。

大岡昇平(昭和 60)『野火』の王杞元 金强译(1987)《野火》への翻訳の中の副詞加訳(日→中)の頻度数ランキング

順位	加訳(日→中)された副詞	数
1	一直	13
2	并(+ neg.)	10
3	又	7
4	竟然(5)　竟(1)	6
4	忽然	6
4	却	6
7	究竟	4
7	突然	4
…	…	…

以下、順位に従って具体例、典型例をとりあげて、問題点、注意点、特記すべき点等について述べて論究していくことにする。

第 1 位は“一直”(13)である。“一直”については拙著(2017)第 6 章の 3 冊合計の副詞の加訳(日→中)の頻度数ランキングでも第 1 位である(49 例)ので問題ないが、第 2 位の“并(+ neg.)”(以下“并”と略す。)(10)は上位どころか下位にも入っていない。

刘月华著 (2007)《实用现代汉语语法》(增订本)の“副词的分类”[4)]でも見当たらず“连词”の中に“并”はあるが(p.313) それは「並列」の意の“并”であり、“并(+ neg.)”と後に否定形(ex.“不”“没有”)が続く副詞の“并”ではない。“并”はふつう“副词。1. 放在前面，加强否定语气表示不想预料的那样:～不太冷，～非不知道”[5)]と説明され、“不”“没有”などの前に位置し、「否定の語気を強める」と説明されるが、現実には“屋子里并不热。”=「部屋の中は別にそう暑くはない。」[6)](下線は筆者による。以下同じ。)という用例もあり、(2010)『中日大辞典　第三版』では「否定の

〔不（bù)〕〔非(fēi)〕などの前に置いて,ある見方を否定し真相を説明する意味あいを持つ. 〔～不是〕〔～没有〕などは“さして”“べつに”というほどの意味の場合が多い。また,口調の関係で軽く添える場合も多い.(中略)〔我～不是说你说的不对〕君の言うことは間違いだというわけじゃないよ。〔～不是怎样出奇的山，也不见得有多少高〕別に大して珍しい山でもなく、またそんなに高いとも思われない。〔我研究了一下，这个工程～不太难〕研究してみたが、このプロジェクトはべつに非常に困難だというほどではない。」[7]　と述べている。つまり“并”は日本語の「べつに」「さして」と対応する場合もあり、また「口調の関係で軽く添える場合も多い」のであり、加訳(日→中)かどうか判然としない場合があり、拙著(2007)第 6 章では、そうした判断、感覚が働き、“并”を加訳(日→中)として取り扱わなかったのである。また、加訳(日→中)といっても**①形式的、習慣的な、口調を整える上での加訳**(ex.　“并”“又”“却”“然后”(“连词”の一部 etc))**②　実質的、意味的な加訳(日→中)**（ex.　“竟然”の一部、“一直”etc）の 2 種類があると考えられる。(①の場合は加訳かどうか判然としない場合もある。)

“并(+ neg.)”の加訳(日→中)として、次のような例は形式的な口調を整えるものであろう。「女は叫んだ。こういう叫び声は日本語は「悲鳴」と概称しているが、あまり正確ではない。」(『野火』p.85) →“女人喊叫着，日语中称之为“悲鸣”，但并不十分贴切，～”(『野火』p.65)。前後するが、1 位の“一直”の加訳(日→中)例としては次のようなものがあった。「路傍に倒れた兵士の数が多くなった。私は死んだ兵士の銃を取る機会をねらっていたが、(後略)」(『野火』p.98) →“路旁倒下去的士兵逐渐增多。我一直在寻找机会，～”(《野火》p.75)。副詞“一直”(13) の加訳(日→中)例 13 のうち、時間的連続を表すものが 9 例、空間的連続を表すものが 4 例であった。空間的連続より時間的連続を表すものが多いのは拙著 (2017) 第 6 章の結果と同じである。

第 3 位の副詞加訳(日→中)は“又”(7)の加訳(日→中)である。動作の重複や継起を“又”で加訳(日→中)するのが5例、有利な状況の同時性を加訳(日→中)するのが1例、否定の語気を強め反語文に“又”が用いられ加訳(日→中)されるのが1例である。日本語では明示的表現ではない。最後の反語文に用いられた例を挙げる。「死人の（注:銃）じゃなかったら、どうしたっていうんだ。いやならよせ」(『野火』p.98）→“不是士兵的，又怎么着，不愿要就算了。”(《野火》p.75)。

第4位の副詞加訳(日→中)は“竟然”(5)“竟”(1)=計6例、“忽然”(6)“却”(6)である。“竟然”に続く動詞等は“慢长”(p.5)(時間は長かった)(p.10)、“有”(p.41)((畠が)残されている)(p.54)、“忽略”(p.75)(気がつかなかった)(p.97)、“想”(p.99)(～と思った)(p.129)、“食（人）”(p.99)(人肉を食う)(p.130)、“竟”に続く動詞は“产生”(p.134)(生じる)(p.174)である。“竟然”と“竟”の使い分けは、必ずしも単音節動詞かどうかによるものではないようである。

副詞“忽然”の加訳(日→中)に続く動詞等は“感到”(p.39)(思った)、“想到”(p.63)(思った)(p.83)、“感到”(p. 94)(思った)(p.123)、“感到”(p.131)(思った)(p.170)と「思った」が4例、その他は“感到”(p.9)(という考えが)閃いた)(p.15)、“感到”(p.87)((恐怖が私を)捉えた)(p.114)で、中国語は一様に“感到”である。問題は日本語にない“忽然”が加訳(日→中)されていることで、日本語では「ふと」や「突然」という意識が表現者（作者や主人公、人物）にないのに中国語にした訳者にはあるということである。以下のような例があった。「私はこの家に燐寸《マッチ》があるかも知れないと思った。」(『野火』p.83）→“我忽然想到，房子里会不会有火柴呢？”(《野火》p.63)。こうしたことは“竟然”の加訳(日→中)についても言えることで、日本語の小説では「意外に」とはとらえていないのに中国語の訳者は“竟然”ととらえていることが“竟然”の加訳(日→中)となっており、それはより正確に言えば、日本語と中国語の表現上の習慣の相違に基づくものであるのか（=形式上の相違)、それともそれ以外の何を「意外」と考えるかの意味的なものの相違なのか、(更には一般的な「文化上の相違」なのか、個別的な「個人の表現感覚上の相違」なのか)という問題になるが、現状では判然としない。次のような例があったことを記しておきたい。「待ち設けるような視線の中を歩いて、彼らの位置に達するまでの時間は長かった。」(『野火』p.10) → “我行走在恭候般的目光之中，到达他们面前的时间竟然如此漫长。”《野火》p. 5)。

“却”(6) の加訳(日→中)も“并”(10) 同様、拙著(2017)第6章では扱わなかった副詞であるが、それはもとの日本語の原文に逆接の「が」や「のに」という表現のあることも多く、そのため直訳(日→中)とも考えられ、また①形式的、習慣的な口調を整えるための加訳(日→中)とも考えられる曖昧性があるからである。“却”は“副词，表示转折:这个道理大家都明白，他～不知道”[8]と説明され、(2002)『白水社中国語辞典』では1.「「反対に、むしろ、かえって」2.「意外にも、思いもかけず」3.「かえって、むしろ、しかし」そして4.として“可是”“但是”“然而”などの後で「逆説の意味を強調する」[9]と説明する。次のような“却”の加訳(日→中)例を見ると、日本語の原文のような「客観的描写」(少なくとも表面上の表現ではそうである。お定まりの「逆説」の「のに」などの言い方を嫌う日本文学の表現ではよくこうした客観的表現を使用する。) ではなく、中国語では「逆説」の意味を付加していることがわかる。既述の“竟然”や“忽然”の加訳(日→中)(「形式上」の加訳(日→中)か「意味上」(文化上、個人の表現感覚上)の加訳(日→中)か判然としない加訳(日→中)) と同種の加訳である。「香《かぐ》わしい汁と甘い肉を持つ果実が頭上にあり、ここで私はいたずらに飢えている。」(『野火』p.49) → “头顶上，就是累累的液汁清香，果肉可口的椰果，而我却在树下眼巴巴地挨饿。”(《野火》p.37)。

4.2 『ホームレス中学生』(=『ホ』) の副詞の加訳(日→中)

田村裕(2007)『ホームレス中学生』(=『ホ』)の吴季伦译(2009)《无家可归的中学生》(=《无家》)への翻訳の中の副詞加訳(日→中)の頻度数ランキングは以下のものである。

田村裕(2007)『ホームレス中学生』(=『ホ』)の吴季伦译(2009)《无家可归的中学生》(=《无家》)への翻訳の中の副詞加訳(日→中)の頻度数ランキング

順位	加訳(日→中)された副詞	数
1	却	51
2	一直	28
3	实在	24
4	已经	23
5	结果	19
6	根本	18
7	并(+neg.)	15
7	甚至	15
9	曾经	14
10	竟然(10)　竟(1)	11
11	从来	10
…	…	…
…	其实	6

『野火』の日文中訳に比べて、『ホ』の日文中訳《无家》の加訳(日→中)された副詞の頻度数ランキングのほうが、非常に数が多いことが、まず特徴的である。『ホ』の原文が高校生ぐらいの話し言葉で記されていることがそうした特徴を生んでいるのかもしれない。『野火』が戦争文学という純文学であるのに対して『ホ』は話し言葉の文字化的作品である。

第1位の“却”(51)は(2002)『白水社中国語辞典』4.として“可是”“但是”“然而”などの後で「逆説の意味を強調する」[10)]と説明されているものが非常に多く、更にそれらは“可是”“但是”“然而”などと組み合わされて「逆説」の形式的マーカー（標識）になっているような感さえある。

以下はその事例である。「お母さんは「もう、こんなに汚して」と口では言いながら、嬉しそうな表情を浮かべていた。」(=『ホ』p.43) → “妈妈虽然嘴里念着“真实的，弄得这么脏”，可是脸上却露出蛮开心的表情。”(《无家》p.41)。副詞加訳(日→中)として、こうした①形式的加訳(ex. “并(+neg.)”“却”)とも言えるものがあることを把握し認識しておくことは重要なことであろう。

第2位の“一直”の副詞加訳(日→中)のうち、空間的連続を表すものはわずか1例で、その他はすべて時間的連続を表す“一直”の加訳(日→中)である。空間的連続を表す“一直”の加訳(日→中)例には次のようなものがあった。「車内の重苦しい空気を変えたのは、病院に到着したことだった。」(『ホ』p.82) →” 车里的沉重气氛一直要到抵达医院才被打破。”(《无家》p.85)。時間的連続の意味を表す“一直”の後続の動詞については拙著(2007)第6章では心理動詞が多い場合もあった。(ex.《恶意》では全体24例のうち、8割が心理動詞、《向》の場合は全体21例のうち3例、《挪威》では全体4例のうち0例が心理動詞であった。[11])今回の事例研究では《无家》の場合は“一直”に続く27の動詞のうちの6例が心理動詞であった。(正確には 5 個の動詞と 1 個の形容詞で、以下のものである。“以为”(p.14)(当たり前だった。)(p.17)、“没有留意到”(p.108)(気にならなかった)(p.106)、“深信”(p.114)(信じてしまっていた)(p.111)、“想”(p.117)(考える)(p.115)、“想要”(p.198)(ほしがる)(p.198)の 5 つの動詞(中)と“沮丧”(p.133)(落ち込む)(p.131)という一つの形容詞(中)である。)心理動詞以外では“陪”“在”“拉肚子”“生活”“跳动”“唱”“吐”“寻找”“守护”“穿”“领取”“摆”“照顾”などの動詞が“一直”の後に続け使用されていた。今後、更に詳しく事例研究を行う必要があるであろう。

第3位の“实在”(24)の副詞の加訳(日→中)はすべて「強調」の意の「本当に」という意味で“其实”と同義の「実は、実際は」という意味のものは皆無であったのは拙著(2007)第6章[12]の結果と同じである。

第4位の“已经”(23)の副詞加訳(日→中)はすでに過去の「動作・行為

が完了したり状態の変化があった場合に」[13)]用いられる時間副詞の加訳(日→中)であるが、次の例など見ると既述の①形式的加訳(日→中)、形式的マーカー(標識)として中国語では“已经”が用いられているように思われる。「西村さんの死。お母さんの死。全てが理解できて泣いた。」(『ホ』p.114) →“西村太太的死 妈妈的死，我已经完全能够体会，所以哭了。”《无家》p.116) こうしたことは第9位の“曾经”(14)や第11位の“从来”(10)の加訳(日→中)についても言えることであり、テンスがないと言われる中国語では時間副詞がテンスの形式的マーカーの役割を代替的に果たしているのではないかと思量するものである。

第5位の“结果”(19)はふつう「その結果、その挙句、結局のところ」等と訳されるが、この“结果”は長い文を嫌う中国語の特性として、前と後ろを「区切る」意味で、「区切る」マーカーとして加訳されているのではないかという感じがする。これも①形式的加訳(日→中)、その形式的マーカーであるということである。以下のような典型事例をご覧いただきたい。「今思えばなんら気が緩む状況ではないのに、座ったというだけで眠たくなるなんて相当なアホだと思うが、なんせ眠くなってしまった。」(『ホ』p. 11) →“现在回想起来，当时明明处于不容松懈的紧迫状态，结果一坐下来就变得很想睡，想来自己也是个相当蠢的傻蛋，不过反正那时候很想睡就是了。”(无家》p.9)

第6位の“根本”(18)や第7位の“并(+ neg.)”(15)の加訳(日→中)も同種の①形式的加訳(日→中)、その形式的マーカーではないかと思われる。

第7位の“甚至”(15)の副詞加訳(日→中)は「甚だしい場合は～さえ～する」という意味の“甚至”が加訳(日→中)される場合であるが、この加訳(日→中)は①「区切る」という形式的加訳(日→中)と②「甚だしい」という実質的、意味的加訳(日→中)を兼ねているようである。次のような典型的事例があった。「みんながカレーライスだけのところを僕はきつねうどんも頼んで、さらにデザートにアイスや菓子パンを食べることができた。」(『ホ』p. 136) →“当大家只能点咖喱饭时，我还能多点豆腐皮乌冬面，甚至还可以吃刨冰或甜面包当甜点。"（无家》p. 138）。日本語が客観的表現であるのに比べて、中国語は"甚至"で前と後を区切り、後ろの「甚だしさ」を際立たせている。

第10位の"竟然"（10）"竟"（1）（=計11）の副詞加訳（日→中）は②実質的、意味的加訳（日→中）である。"竟"の後の動詞は"是"（p.12）（である）（p.14）（1）が1つ、"竟然"は"是"が3つ、他は"来到"（p.11）（きた）（p.13）、"发现"（p.40）（発見した）（p.42）、"说出"（p.53）（言いだした）（p.54）、"送"（p.74）（送り出す）（p.71）、"出现"（p.152）（（味が）した）（p.146）、"加付"（p.174）（発見する）（p.164）、"迸出"（p.176）（吐き捨てた）（p.167）の7つである。

4.3 『火花』の副詞の加訳（日→中）

又吉直樹（2015）『火花』の毛丹青译（2017）《火花》への翻訳の中の副詞加訳（日→中）の頻度数ランキング以下のものである。

又吉直樹（2015）『火花』の毛丹青译（2017）《火花》への翻訳の中の副詞加訳（日→中）の頻度数ランキング

順位	加訳（日→中）された副詞	数
1	并（+neg.）	10
2	竟然（7）　居然（2）	9
3	其实	7
4	却	6
5	一直	4
5	究竟	4
5	原来	4
…	…	…

又吉直樹（2015）『火花』は純文学の賞である芥川賞を受賞した作品で、難解な表現、文章も含まれている点で、『ホ』とは異なり、『野火』と親和

性があるであろう。

第1位の副詞加訳（日→中）は并（+neg.）⑽で、口調を整えるような形式的加訳（日→中）が主で、「さして～」「別に～」という日本語に対応する“并”は《火花》にはないようである。もっとも“并”が「さして～」「別に～」に対応していると中→日の方向で考えることも可能であるから、その意味では一定の意味的な対応関係が日本語と中国語の間であるとも考えられよう。口調をととのえるような形式的加訳（日→中）の例としては次のようなものがあった。「結果が芳《かんば》しくなかったので、どのようなネタをやっていたのかはあまり正確に覚えていない。」（『火花』p.4）→“演出效果并不好，当时究竟说了哪个段子，现在也记不清了。”（《火花》p.2）。“并”は口調をととのえる役割を持つとともに次に述べることを否定する旨、事前に、否定の「前振り」をする役割を持つマーカー（標識）でもあると言えるであろう。“加强否定语气表示不像预料的那样”[14]というだけでは“并”の役割を充分に説明しているとは言えない。

第2位の“竟然”⑼は（“竟然”⑺に同義語の“居然”⑵を加え、全体9とした）《野火》では第4位⑹、《无家》では 第 10 位⑾であったが、《火花》では“竟”の加訳（日→中）はなく、“竟然”⑺のみの加訳（日→中）である。《野火》や《无家》でも“竟”⑴で“竟”は1例しかないから、今回、調べた文学作品の事例研究では“竟然”が優勢であると言えよう。もっとも拙著（2017）第6章では他の3作品の合計使用頻度数ランキング[15]を見ると、竟”⒃ “竟然”⒅で“竟”は“竟然”と使用頻度数では拮抗している。しかし、《向》では“竟”は 0 例であるから、その使用・不使用は個人の好みによるものなのかもしれない。“竟然”は②実質的、意味的加訳（日→中）であるが、その「意外性」については、日本語と中国語で、既述のように ㋐一般的な「文化上」の相違㋑個別的な「個人の表現感覚上」の相違がある。もっとも“竟然”の加訳（日→中）には次のような例があった。「姉は緊張で身体が強張《こわば》り、異常に両肩が上がっていて無様《ぶざま》だった。いつもは優しくて頼りがいのある姉のこんな姿を見ていると、なぜか僕は胸が苦しくなり、眼から涙が溢れた。」(『火花』p.21)→“姐姐紧张得浑身僵直，双肩凸起，演奏得糟糕透了。我看到了一向温柔可爱的姐姐竟然变成了这种模样，非常难受，不知不觉中流出了眼泪。”(《火花》p.20)。少なくとも日本語では「意外性」を言語化してはいない。日本語では「意外にも」などの表現を明示的に使用することを「言わずもがな」の「野暮」と感じ、そうした表現を使用しないのであろう。日本語は言語化しないことによって言語化していないさまざまな事柄、可能性（ex. 喜怒哀楽、好悪etc）をほのめかせる傾向の強い言語である。それに対して、中国語でははっきり、堂々と“竟然”を表現し、その「意外性」を明示することに何らのためらいも見られない。中国語はその意味で、感情等について、表現のパターン化を志向する言語なのであろう。

第3位の“其实”(7)は《野火》や《无家》では副詞加訳(日→中)の頻度数ランキングに表れていないが、拙著(2017)第6章の3作品使用頻度数ランキングでは、“其实”の加訳(日→中)は第2位(49)[16]で、前に述べたことについて、これから実は実態はこうなのだということを述べる「前振り」の役割をする副詞が“其实”である。拙著(2017)第6章では「修正」「補充」の意味が「反論」の意味を表す場合よりずっと多かった[17]。

《火花》の“其实”の加訳(日→中)はすべて「修正」「補充」のものであり、次のような加訳(日→中)例があった。「でも、こいつこう見えて盗聴が趣味やからな」と神谷さんが言うと、一同は大袈裟に驚いた。」(『火花』p.46)→““不过，别看这小子现在这个摸样，其实他的嗜好是窃听听人的私语呢！”神谷先生说完，满堂惊呼，一片嘘声。”(《火花》p.47)。現実には「修正」「補充」と「反論」が明確に分けられない場合もある。“其实”の副詞加訳(日→中)は②実質的、意味的加訳(日→中)の面のほうが①形式的加訳(日→中)の面より強いようである。

第4位の副詞加訳(日→中)である“却”(6)の加訳(日→中)は文内の「転折」(「逆接」の意味)を表し、強調する副詞加訳(日→中)であり、《野火》

では第 4 位(6)、《无家》では第 1 位 (51)である。“却”は①形式的加訳(日→中)か②実質的、意味的加訳(日→中)か判然としない場合(他には ex.“竟然”“忽然”etc)、また②実質的、意味的加訳(日→中)の場合、もある。次のような例の場合は②実質的、意味的加訳(日→中)の面が強い。「一向に生活は変わらなかった。連日ネタ合わせに明け暮れたが、収入にはならない。」(『火花』p.66)→““我的生活没有任何变化，连续好几天练段子，却没有收入。”(《火花》p.61)。

第 5 位“一直”(4)は「持続」のアスペクトの表現を代替する副詞加訳(日→中)である。“一直”の加訳(日→中)は②実質的、意味的加訳(日→中)と考えてよいであろう。4 例すべて「時間的連続」を表し、「空間的連続」を表すものはない。ex.「神谷さんも僕も冷えた手の平が真っ赤になるまで、激しく拍手をした。」(『火花』p.166)→“神谷先生和我也用力拍手，一直拍到冰冷的手变得通红。”(《火花》p.149)。“一直”は「ている」の訳に対応することもあるし、意訳(日→中)と対応することもある。

第 5 位の“究竟”(4)の副詞加訳(日→中)は「どのような」「どのように」「どこから」(日)という疑問表現を含む表現の中国語訳の「前振り」に使用されることが多い。第 5 位“原来”(4)の副詞加訳(日→中)は「意外性」と「気付き」の意味を併せ持つ副詞“原来”の加訳(日→中)であり、後続の「意外性」と「気付き」の事実の「前振り」として使用される。ex.「前から変な妖怪歩いてきたと思ったら徳永やないか」(『火花』p.25)→“打前面走过来个妖怪，凑近一看原来是德永。”(《火花》p.25)。

5. 結語

以上、今回の事例研究の 3 作品の中国語訳の副詞加訳(日→中)を合計すると、以下のような頻度数ランキングとなる。

順位	加訳(日→中)された副詞	数
1	却	63
2	一直	45
3	并(+neg.)	35
4	竟(2)竟然(22)居然(2)	26
…	…	…
5	其实	13

拙著(2017)第6章の3作品の副詞の加訳(日→中)使用頻度数ランキング(接続詞の加訳(日→中))は削除してある)は以下のものである。

順位	加訳(日→中)された副詞	数
1	竟(16)竟然(18)居然(24)	58
2	一直	49
3	其实	49
4	实在	29
…	…	…

今回の事例研究では拙著(2017)第6章に比べて“却”“并(+neg.)”が加わったことが修正ポイントである。それは加訳(日→中)か直訳(日→中)か(更には意訳(日→中)か)判然としない場合があることに大きな原因がある。今回の事例研究では①形式的加訳(日→中)(ex.“并(+neg.)”“却”の一部)②実質的、意味的加訳(日→中)(“竟”“竟然”“却”の一部“一直”“其实”etc)の二つの加訳(日→中)が存在することが判明した。本事例研究の成果であろう。

中国語表現には＋－(プラスマイナス)、二項対立で考える面が強いことが今回の副詞加訳(日→中)の事例研究で看取される。副詞“并(+neg.)”は否定/肯定の二項対立を表現の前提とし、“竟”“竟然”は意外性/非意外性(=平凡、日常性)を、“却”は＋(肯定)/－(否定)を、“一直”は連続/非連続を、“究竟”は「つまりは、結局は」／Øを、“原来”は意外性・気付き／Øを表現の前提としている。日本語ではそれらは今回の事例研究では明示的(explicit)に表現されていない。それを明示的に表現するのが中国語(=加訳(日→中))で、それはとりもなおさず中国語表現の＋－、二項対立的表現への固執、こだわりという言語傾向を顕現している。

更に①形式的加訳(日→中)②実質的、意味的加訳(日→中)の弁別からは言語(表現)の　実質的→形式的　への大きな流れ(ex.他の例としては漢字の象形文字から形声文字への伸展、実詞の虚詞化(ex.“给”“与”“往”etc))を想起、連想する。

言語は意味と形式を持つが、中国語の副詞は「区切り」や「前振り」の役割を果たすことが今回の副詞加訳(日→中)の事例研究によって明らかになった。副詞加訳(日→中)の「実質」性と「形式」性の弁別と学的論究は、今後に残された課題である。それは副詞(中)の通時的研究の中にも位置づけられるべき研究課題であることを最後に付言しておきたい。

注

1)曹泰和(2014)「3.副詞」p.21　沖森卓也　蘇紅編著(2014)　所収

2)藤田昌志(2007)　第6章pp.15-16

3)藤田昌志(2017)　第6章pp.126-132

4)刘月华　潘文娱 故韡著　(2007)　p.212

5)(2004)《新华字典》第10版p.34

6)伊地智善継編(2002)p.91

7)(2010)『中日大辞典　第三版』p.122

8)(2004)《新华字典》第10版

9)伊地智善継編 (2002)p.1168

10)伊地智善継編 (2002)p.1168

11)藤田昌志(2017) 第 6 章 pp. 126-127

12)藤田昌志(2007) 第 6 章 pp. 130-132

13)伊地智善継編(2002) p. 1771

14)(2004)《新华字典》第 10 版 p. 34

15)藤田昌志(2017)第 6 章 p. 124

16)藤田昌志(2017)第 6 章 p. 124

17)藤田昌志(2017)第 6 章 p. 128

参考文献

曹泰和(2014)「3.副詞」沖森卓也　蘇紅編著(2014)所収

沖森卓也　蘇紅編著(2014)『日本語ライブラリー　中国語と日本語』朝倉書房

藤田昌志(2007)『日中対照表現論　―付:中国語を母語とする日本語学習者の誤用について―』白帝社

藤田昌志(2013)『日本語と中国語の誤用例研究』朋友書店

藤田昌志(2017)『日中対照表現論Ⅱ―事例研究を中心として―』朋友書店

刘月华　潘文娱 故韡著 (2007)《实用现代汉语语法》(增订本) 商务印书馆

(2004)《新华字典》第 10 版 商务印书馆

伊地智善継編(2002)『白水社中国語辞典』白水社

愛知大学中日大辞典編纂所編(2010)『中日大辞典　第三版』大修館書店

郭 春貴(2014)『誤用から学ぶ中国語 続編 1 -補語と副詞を中心に-』白帝社

用例採取書目

①大岡昇平(昭和 60)『野火』新潮社　新潮文庫

王杞元　金强译(1987)《野火》昆仑出版社

②田村裕(2007)『ホームレス中学生』(=『ホ』)

吴季伦译 (2009)《无家可归的中学生》(=《无家》)上海译文出版社

③又吉直樹(2015)『火花』文藝春秋

毛丹青译(2017)《火花》人民文学出版社

編集後記

日中対照言語学会から第6回特集号『日本語と中国語の副詞』をお届けいたします。本論集は、主として2016年12月25日(日)に大阪産業大学梅田サテライト（大阪駅前第三ビル19階）で日中対照言語学会が主催した「副詞表現特集大会」での研究発表とそれ以後の副詞に関する投稿論文をもとに、日本と中国の11名の研究者が執筆した副詞に関する論文集です。

執筆者の多忙さによるためでしょうか、原稿執筆の遅れがかなりあり、出版までに3年6ヶ月あまりの長い歳月を経て、ようやく出版できる運びとなりました。

本論集に掲載された論文は、日本語の副詞表現に焦点を当てるものもあれば、中国語、または日中両言語の対照に焦点を当てるものもあります。どれも、日本語と中国語の副詞表現について、先行研究を踏まえ、様々な視点から豊富な実例を使い考察した労作です。それぞれ、執筆者はこれまでにない新しい見解を打ち出しています。

本論集は、副詞表現を一つのテーマとする論文集として恐らく本邦初の研究書と言えるでしょう。本論集が副詞表現に関する日本語・中国語または日中両言語を研究する皆様に対し、少しでも役立つことができれば、執筆者・編集者一同にとって何にも勝る大きな喜びとなります。

本論集または個別的な論文の内容などについて、何かご意見やご感想などがありましたならば、直接執筆者、あるいは出版社を通しても構いませんので、ぜひご指摘ご教示ください。

最後に、本論集の出版にあたって、経費などの面では、これまでどおり白帝社社長佐藤康夫氏より多大なご支援を戴き、編集などの面では、同社の岸本詩子氏に大変お世話になりました。心から感謝の意を表します。

2020年6月18目
編集者

CONTENTS

On the Meaning of *"kanarazu"*
SUZUKI Tai ……………………………………………………………………… 1

Adverbial Modification in Japanese Causative Sentences
HAYATSU Emiko ……………………………………………………………… 23

The function of the Adverb *"Tashikani"* in Response to Utterance
LI Dan…………………………………………………………………………… 57

A Study on the Onomatopoeia in Japanese TV food advertisements
LÜLeining・GUO yafei………………………………………………………… 78

About difference between *"yidianr"* and *"youdianr"*
SHI Weiguo……………………………………………………………………… 95

Concerning the Position of the Adverb of the *Ba*-construction in Chinese
Textbook—Focusing on the Adverb *"Dou"* KOJIGUCHI Yumi ……………118

Concerning the Position of the Adverb in Chinese and Japanese
TAKAHASHI Yasuhiko…………………………………………………………136

"bie/buyao……(le)" Sentence and the Various Japanese Translations
WANG Xuequn…………………………………………………………………157

Analysis of the Polarity Sensitivity of Negative Polarity Adverbs in
Chinese and Japanese ZHENG Yugui ……………………………………… 177

A Study on Subjectivity of Chinese Adverb *"YE"*: In contrast to
the Japanese Auxiliary Word *"MO"* SUN Yulei ………………………………195

A Case Study of Explicit Adverbial Expression:As seen in Chinese
Translation of Japanese Literary Works FUJITA Masashi……………………212

執筆者紹介(掲載順)

氏名	肩書と所属と学位	メールアドレス
鈴木　泰	東京大学名誉教授・博士(文学)	yu-ayuko@mtc.biglobe.ne.jp
早津恵美子	名古屋外国語大学教授・博士(文学)	ehayatsu@nufs.ac.jp
李　丹	創価大学助教・博士(人文学)	lidan@soka.ac.jp
呂　雷寧	上海財経大学准教授・博士(文学)	lv.leining@mail.shufe.edu.cn
郭　雅菲	上海財経大学・学部生	gyf563583353@163.com
時　衛国	山東大学特別招聘教授・博士(文学・言語文化学)	swg@sdu.edu.cn
小路口ゆみ	跡見学園女子大学非常勤講師・博士(中国言語文化学)	kennyhe490@yahoo.co.jp
高橋弥守彦	大東文化大学名誉教授	3441748402@jcom.home.ne.jp
王　学群	東洋大学教授・博士(日本文学)	ohgakubun@toyo.jp
鄭　玉貴	山東師範大学講師・博士(言語学及び応用言語学)	1517018389@qq.com
孫　宇雷	中山大学副研究員・博士(日本言語文化学)	asteriatz@foxmail.com
藤田昌志	京都外国語大学大学院等非常勤講師	fujita.m@mirror.ocn.ne.jp

日本語と中国語の副詞

2020年11月25日　初版発行

編　者　日中対照言語学会
発行者　佐藤康夫
発行所　白帝社

〒171-0014 東京都豊島区池袋 2-65-1
TEL 03-3986-3271
FAX 03-3986-3272（営）／03-3986-8892（編）
http://www.hakuteisha.co.jp

Printed in Japan　ISBN978-4-86398-388-5